MINISTERE DES AFFAIRES
CULTURELLES DU QUEBEC

PEINTURE EN FRANCE 1900-1967

MUSEE D'ART CONTEMPORAIN

CITE DU HAVRE, MONTREAL

PEINTURE EN FRANCE 1900-1967

EXPOSITION ITINERANTE ORGANISEE PAR
LE MINISTERE DES AFFAIRES CULTURELLES
DE FRANCE ET PAR LE MUSEE NATIONAL
D'ART MODERNE, PARIS

MISE EN CIRCULATION SOUS LES AUSPICES DE
INTERNATIONAL EXHIBITIONS FOUNDATION
1968

NATIONAL GALLERY OF ART; WASHINGTON, D.C.

THE METROPOLITAN MUSEUM OF ART; NEW YORK, NEW YORK

THE MUSEUM OF FINE ARTS; BOSTON, MASSACHUSETTS

THE ART INSTITUTE OF CHICAGO; CHICAGO, ILLINOIS

MUSEE D'ART CONTEMPORAIN; MONTREAL, QUEBEC

THE DETROIT INSTITUTE OF ARTS; DETROIT, MICHIGAN

Copyright © 1967 par
INTERNATIONAL EXHIBITIONS FOUNDATION
Library of Congress Catalog Card 67-31761

Maquette de Kurt Wiener

Imprimé aux Etats-Unis
Par H. K. Press, Washington, D.C.

Couverture:

Cat. No 32. Pablo Picasso, *Portrait de Jeune Fille*

Page frontispice:

Cat. No 25. Henri Matisse, *Le Luxe*

AVANT—PROPOS

Je suis heureux d'accueillir la prestigieuse exposition "Peinture en France 1900-1967" qui marque l'inauguration officielle du superbe bâtiment où logera désormais en permanence, le Musée d'art contemporain.

Cette exposition, organisée par l'International Exhibitions Foundation, présidée par madame John A. Pope, en collaboration avec le Ministère des Affaires culturelles de France et le Musée National d'Art Moderne de Paris, ne devait être présentée que dans cinq musées américains. Cependant, grâce aux efforts conjugués des Services culturels du Consulat Général de France à Québec, du Musée d'art contemporain et du Service de la Coopération avec l'extérieur du Ministère que je dirige, la population du Québec aura l'occasion de voir cette exposition historique à Montréal.

Que tous ceux qui ont rendu possible cette manifestation culturelle veuillent bien trouver ici l'expression de notre gratitude.

Les plus grands noms de la peinture, en France, depuis le début du siècle, sont représentés ici. Ces noms ne sont pas tous d'origine française, et c'est à la gloire de la France d'avoir accueilli des artistes venus de tous les horizons, et même du Québec, comme en témoigne la présence d'une grande oeuvre de Jean-Paul Riopelle.

Je souhaite tout le succès possible à cette exposition qui inaugure si brillamment notre nouveau Musée d'art contemporain.

Jean-Noël Tremblay
Ministre des Affaires
culturelles du Québec

REMERCIEMENTS

L'International Exhibitions Foundation est heureuse de présenter cette exposition, "Peinture en France 1900-1967", dans cinq musées américains importants, en commençant par la National Gallery of Art, à Washington, ainsi qu'au Musée d'art contemporain, à Montréal, Canada. Après des démarches qui ont duré plus de deux ans, cette exposition a pris graduellement des proportions qui en font l'une des présentations les plus complètes dans ce domaine.

La Foundation exprime ses remerciements à tous ceux qui ont soutenu ce projet, et particulièrement à M. André Malraux, Ministre d'Etat chargé des Affaires culturelles, dont l'attitude favorable et chaleureuse a grandement facilité la tâche à tous ceux qui étaient concernés. M. Jean Basdevant, Directeur Général des Relations culturelles, et M. Pierre Moinot, Directeur Général des Arts et Lettres, au Ministère d'Etat chargé des Affaires culturelles, nous ont accordé leur pleine et entière collaboration, de même que M. Philippe Erlanger, Directeur de l'Association Française d'Action Artistique. Nous exprimons également notre reconnaissance à M. Robert Boyer, à M. Gaston Diehl et aux autres représentants du gouvernement français pour l'aide qu'ils nous ont apportée. Ce texte serait incomplet sans la mention du nom de feu Jacques Jaujard, Secrétaire Général des Affairs culturelles, qui n'a cessé, jusqu'à sa mort en juin dernier, d'encourager par son amitié agissante la réalisation des rêves ambitieux de la Foundation.

M. Bernard Dorival, Conservateur en Chef du Musée National d'Art Moderne de Paris, mérite particulièrement notre gratitude pour avoir fait le choix d'une quarantaine d'oeuvres magnifiques prêtées par son musée. Son assistante, Mme Mady Ménier, a consacré plusieurs mois au travail d'organisation de cette exposition.

Nous devons aussi adresser nos remerciements à M. Germain Viatte, Inspecteur de la Création Artistique au Ministère des Affaires culturelles, et à son collègue Blaise Gautier, qui ont réuni pour cette exposition plus de cent peintures contemporaines, et qui ont préparé la liste des oeuvres ainsi que les notes biographiques pour le catalogue. Nous sommes profondément reconnaissant envers Son Excellence Charles Lucet, Ambassadeur de France aux Etats-Unis, pour la bienveillante attention qu'il a accordée à la réalisation de ce projet, et envers M. Gérard de la Villèsbrunne, Conseiller, pour avoir assuré les contacts entre l'Ambassade et la Foundation. M. Edouard Morot-Sir, Conseiller Culturel à l'Ambassade de France, mérite notre profonde gratitude, particulièrement pour la réalisation du catalogue.

Enfin, nos remerciements s'adressent tout particulièrement aux musées, aux galeries, aux collectionneurs et aux artistes eux-mêmes : c'est grâce à leur générosité que nous pouvons présenter cette sélection impressionnante de la peinture moderne en France. Les personnes dont les noms suivent ont contribué directement au succès de cette exposition : M. Arditti, M. Jacques Benador, M. Ernest Beyeler, M. Gildo Caputo, M. Mathias Fels, M. Jean Fournier, Mme Sylvie Galanis, Mme Henriette Gomès, M. Jean Hugues, M. Alexandre Iolas, M. Jean-François Jaeger, M. Yvon Lambert, M. John Lefebre, Mme Louise Leiris, M. Aimé Maeght, M. Pierre Matisse, M. Peter Nathan, M. André-François Petit, Mme Myriam Prévot-Douatte, Mme Denise René, Mme Ileana Sonnabend, et M. Rodolphe Stadler.

M. Kurt Wiener a fait la maquette de ce catalogue et l'a réalisé. Il mérite nos remerciements pour avoir mené à bien cette tâche.

Les directeurs et les conservateurs des musées qui présentent cette exposition ont collaboré avec la Foundation de plusieurs manières; ils se joignent à moi pour remercier le gouvernement français et les généreux prêteurs, qui ont rendu possible la réalisation de cet ambitieux projet.

Annemarie H. Pope
Présidente
International Exhibitions Foundation

PREFACE

Léonard de Vinci est mort à Amboise. Et voilà bientôt six ans qu'avec le célèbre sourire peint par celui qui avait choisi de passer ses derniers jours au pays de Loire, la France venait rendre visite au public américain. Les oeuvres aujourd'hui réunies dans cette manifestation nouvelle s'inscrivent curieusement à la suite du périple solitaire de *La Joconde*. Elles sont symboles de profondes et rapides mutations de notre époque, elles reflètent des bouleversements spirituels, esthétiques et techniques moins éloignés peut-être qu'il ne paraît de la Renaissance, mais elles témoignent aussi bien de l'obsession première et permanente de tout artiste : se délivrer de sa condition humaine, se libérer de son temps, du temps, ne pouvoir tolérer le réel et refaire, comme disait Albert Camus, "le monde à son compte".

La Peinture en France atteste que mon pays continue sa longue tradition de terre d'asile. Les artistes ici présentés sont souvent venus des horizons les plus divers, pour vivre en France, pour demander parfois sa citoyenneté, pour choisir d'y trouver sa fantaisie un peu brouillonne, sa liberté, ses subits enthousiasmes, sa voie méditée, pour l'associer à leur oeuvre et la lui dédier de quelque façon. Aussi la France est-elle consciente de ce qu'elle leur doit et fière de les tenir pour les siens. C'est eux, en premier lieu, qu'il faut remercier d'avoir répondu avec tant d'élan aux sollicitations des organisateurs de cette exposition.

La France sait aussi bien ce que l'art moderne doit à l'Amérique, et n'a pas oublié *l'Armory Show* de 1913. Elle sait la passion mise par les amateurs américains à rassembler, les premiers, les témoignages majeurs de sa création artistique; elle sait que grâce à leur générosité les musées américains sont devenus les plus riches conservatoires de l'art moderne; elle sait le dynamisme créateur des artistes américains contemporains et l'apport stimulant que leur ont apporté les exilés européens des deux guerres; elle sait que l'Amérique est aujourd'hui l'une des terres où naissent les Arts.

Devant ce public américain exceptionnellement averti, les cent cinquante oeuvres de *La Peinture en France* n'ont pas l'ambition de résumer un peu plus d'un demi-siècle d'invention plastique. Elles veulent seulement illustrer la continuité d'un violent pouvoir créateur que la France abrite avec un bonheur reconnaissant. Grâce à l'*International Exhibitions Foundation,* dont l'initiative et les efforts éclairés appellent notre profonde gratitude, la France espère ici prouver qu'elle sait encore tenir le rôle qu' André Malraux, devant l'Acropole, assignait aux nations modernes: "il ne s'agit pas de nous réfugier dans notre passé, mais d'inventer l'avenir qu'il exige de nous".

Pierre Moinot
Directeur Général des Arts et des Lettres
Ministère d'Etat chargé des Affaires Culturelles

INTRODUCTION

Prétendre exposer en cent cinquante oeuvres le cours turbulent de ce XXe siècle déjà largement entamé, peut semble singulièrement présomptueux. Combien de mouvements déjà dûment répertoriés, analysés, combien d'artistes tour à tour adulés ou rejetés? Pourquoi oublier les uns? Pourquoi vouloir en "révéler"d'autres? L'art français, ou plutôt l'art que la France a suscité, ou obscurément abrité, n'est-il pas déjà largement connu et apprécié du public américain? Ne s'agit-il pas d'une étape déjà classée de l'histoire des formes?

Cette initiative américaine permettra peut-être de témoigner bien au contraire de la permanence de la vitalité artistique française.

Peut-être l'air en France est-il plus léger qu'ailleurs, peut-être est-ce la rançon d'une certaine liberté? Toujours est-il que les Français semblent aujourd'hui plus conscients du "faits artistique" et que cette ouverture se manifeste par une attention et une curiosité renouvelées. Force nous est bien aussi de constater que la France a conservé son attrait irremplaçable. On y revient après les voyages. On aime y travailler et l'atmosphère de Montparnasse et de Saint Germain des Prés, malgré l'accélération du rythme de la vie, n'a changé que pour ceux qui en sont loin. De nouveaux foyers surgissent : dans la mobilité parisienne, si les créateurs, souvent dispersés dans les faubourgs, aiment à se rassembler au centre même de la cité, certains ont préféré à l'oppression de la ville le calme des demeures campagnardes ou des provinces de soleil ; l'Ecole de Paris, c'est désormais la France entière.

Les limites matérielles qui s'imposaient d'elles-mêmes dans cette manifestation ont peut-être permis d'échapper aux classifications par trop sèches de l'histoire ou des histoires qui alimentent quotidiennement la houle de la vie artistique. Une tentative d'analyse eût été oiseuse. Il a semblé préférable de s'attacher aux individualités en exposant des oeuvres majeures provenant du fond prestigieux du Musée National d'Art Moderne, des ateliers des artistes qui ont personnellement saisi toute la portée de cette manifestation, de leurs représentants, ou d'importante collections européennes et américaines. L'éclectisme ainsi dégagé était inévitable et nous semble significatif de cette vitalité. Point d'Ecole de Paris en effet. Il est temps d'abandonner cette notion restrictive tour à tour revendiquée par les esthétiques les plus opposées. Paris n'est pas et n'a jamais été un ghetto et la seule cohérence qu'on puisse y rechercher est celle de la qualité. Abandonnons même, si ce n'est pour la commodité d'un accrochage, les étiquettes habituelles aux mouvements. Pourquoi fixer les artistes sur une décennie qui serait celle où ils se sont imposés? Leurs découvertes enregistrées, l'informel d'un Hartung ou d'un Michaux par exemple, ils échappent à toute classification. Matisse n'était déjà plus, en 1913, le fauve de *Luxe, calme et volupté* (1904), et que dire de Picasso! Pourquoi appliquerait-on le carcan des "générations" à nos contemporains immédiats quand le survol de ce siècle prouve la fréquence des éclatements, les révélations tardives et la permanence des individualités? Seul importe le travail, toujours solitaire, de ceux qui choisissent de vivre en France. Sans doute sont-ils fréquemment réunis par des affinités et le flux insaisissable des courants artistiques. On notera la permanence des grandes options de l'art du XXe siècle : "le style et le cri" opposés naguère par Michel Seuphor. On en discernera les multiples facettes, qui sont autant d'expressions des différentes familles de tempéraments : du goût de l'absurde et parfois même du démoniaque à l'ascèse géométrique et à cette subtile "via media" qui en est le difficile privilège pour certains. De ce rythme général, certains semblent presque exclus ou du moins se sont-ils plus à prendre leurs distances. Il nous a semblé intéressant d'insister ici sur leur solitude féconde en présentant autour de Jean Dubuffet, vivant symbole de cette liberté, des oeuvres que le grand public ignore et dont la qualité nous

9

semblait pourtant évidente. Nous avons tenté de rassembler aussi tous ceux, originaires d'Espagne, de Hollande, d'Autriche, du Japon ou bien d'Amérique du Sud, qui ont conquis la première place dans leur pays et sur la scène internationale tout en travaillant dans le pittoresque d'une arrière-cour parisienne ou le charme d'un verger provincial. C'est en effet l'originalité et la gloire de la France que de rester un foyer et un pôle d'attraction. Ainsi notre pays demeure-t-il par sa propre dynamique et par le jeu de ces courants internationaux une des terres artistiquement les plus généreuses : il est juste de signaler le rôle d'un Hartung, d'un Soulages ou d'un Mathieu dans la naissance et le développement de l' "action painting" ; il est nécessaire de rappeller que Mondrian vécut vingt et un ans à Paris et que son oeuvre y est toujours influente grâce à un Herbin, à un Vasarely et aux nombreux artistes, tels Dewasne, Soto, ou Le Parc qui en poursuivirent les applications géométriques, optiques ou cinétiques ; il faut enfin noter que le surréalisme reste profondément vivant en France, et que son esprit non seulement alimente les recherches solitaires d'un Bettencourt, mais encore colore d'un ton particulièrement original les réalisations des jeunes qui furent, d'autre part, sensibles à la vague américaine du Pop'art.

On remarquera les dimensions imposantes de nombreuses oeuvres, à commencer par l'immense rideau de scène de *Parade* qui sera en quelque sorte l'enseigne de l'exposition. L'art moderne tente en effet de briser les cadres psychologiques aussi bien que matériels qui entravaient l'artiste ; il veut adhérer au monde, à l'architecture comme à l'urbanisme ; il rêve de l'univers scientifique et cosmique. Aussi les peintures importantes qui rythment l'exposition ne sont-elles que le reflet d'ambitions beaucoup plus larges qui ont, dès à présent, trouvé de nombreuses applications malheureusement intransportables.

Tandis que les aînés enrichissent leur expérience passée, d'autres artistes continuent d'arriver. Choisir parmi ces jeunes avait quelque chose d'inévitablement hasardeux. Mais il était indispensable d'indiquer sommairement les orientations nouvelles qui se dégagent spontanément. Encore faut-il souligner que ce choix est limité à la peinture. Les frontières techniques sont aujourd'hui dépassées, et c'est un autre constat d'égale importance qu'il faudrait dresser des recherches actuellement poursuivies: objets, applications multiples de l'énergie, structures . . . L'importance et la force de ces recherches en surprendraient beaucoup, tout comme la sape obscure et patiente de nouveaux solitaires.

Bernard Anthonioz
Chef du Service de la Création Artistique
Ministère d'Etat chargé des Affaires Culturelles

Section 1

4.   Pierre Bonnard. *Nu dans la Baignoire.* 1935

2.   Pierre Bonnard. *Portrait des Frères Bernheim de Villers.* 1920

PIERRE BONNARD
Fontenay-aux-Roses, 1867 — Le Cannet, 1947

Ses premières oeuvres, des paysages, sont proches de Corot. A 20 ans, à l'Académie Julian puis aux Beaux-Arts dont il est quelques mois l'élève, il semble vouloir, avec ses amis, les Nabis, prolonger l'aventure du Symbolisme de Gauguin. Pourtant, chez cet amoureux d'estampes et d'images populaires, déjà surnommé "Nabi très japonard", la rigueur théorique va vite se tempérer d'un sentiment à la fois tendre et narquois qui n'appartient qu'à lui. L'influence de Degas se révèle alors à travers le goût de la mise en page imprévue, le don de découvrir l'insolite dans le geste le plus quotidien. A 24 ans, Bonnard peut écrire : "Je ne suis d'aucune école ; je cherche uniquement à faire quelque chose de personnel". De fait, si sa peinture assimile les découvertes les plus révolutionnaires de l'art de son temps, sa palette s'éclaircit vers 1905 en

même temps que celle des Fauves, et si, vers 1910, la disposition rigoureuse de certaines toiles semble trahir l'intérêt pour le Cubisme, il demeure toujours en elle un élément irréductible à aucune théorie d'école. De ce peintre ainsi solitaire, on n'a découvert que ces dernières années la singulière grandeur. C'est que, loin de continuer, comme on l'a trop souvent dit, le naturalisme impressionniste, il engageait la peinture dans les voies de la surnaturalité contemporaine. Voisine de celle de Proust, cette oeuvre semble engager dans la peinture une même recherche du temps perdu et célébrer sans fin les avatars de la matière et de la mémoire.

Bibliographie:

Charles Terrasse, PIERRE BONNARD, Floury, Paris, 1927
Annette Vaillant, BONNARD, Ides et Calendes, Neuchâtel, 1965
Antoinette Terrasse, BONNARD, Gallimard, Paris, 1967

3. Pierre Bonnard. *Coin de Salle à Manger au Cannet.* v.1932

44. Édouard Vuillard. *Le Déjeuner du Matin.* v.1900

ÉDOUARD VUILLARD

Cuiseaux, 1868 — La Baule, 1940

De l'art de Bouguereau et de celui de Gérôme, ses premiers maîtres, Vuillard n'a guère gardé l'empreinte. Bien plutôt, il se convertit vite au nouvel Evangile prêché par Gauguin à Pont-Aven, et devient, avec Bonnard son ami intime, un des plus beaux représentants du groupe des Nabis. Né comme ce dernier d'un milieu bourgeois, c'est la même chronique aiguë et tendre à la fois de cette bourgeoisie qu'il va nous conter, mais souvent d'un ton plus grave et plus réservé que chez Bonnard. Ainsi enraciné dans la réalité sociale de son temps, il manifeste encore plus cet attachement par ses grands programmes de travaux décoratifs : affiches, panneaux pour des théâtres, illustrations, programmes pour la Maison de l'Oeuvre dont il était, avec Lugné-Poe, le fondateur.

Plus d'une fois, cet art elliptique, par ses stylisations extrêmes de forme et de couleur, annonce la peinture abstraite. "Peut-être des Nabis était-ce Vuillard le plus habile, écrit Bernard Dorival. C'était en tout cas le plus délicat".

Bibliographie:

A. Chastel, VUILLARD, Floury, Paris, 1946
J. Salomon, VUILLARD, Paris, 1963

RAOUL DUFY
Le Havre, 1877 — Forcalquier, 1953

La découverte, à son arrivée à Paris en 1900, des impressionnistes, le libère vite de sa formation académique. Libération que confirme la découverte, au Salon d'Automne en 1905, de *Luxe, Calme et Volupté* de Matisse qui le convertit au Fauvisme. Avec Marquet et Friesz, il peint alors la Normandie. Une période plus austère va suivre, marquée par Cézanne. L'art décoratif l'attire également : gravures sur bois, impressions de tissus pour le couturier Paul Poiret. Après 1920, son style sera à peu près fixé. Il l'étendra à la tapisserie, à la céramique, aux décors de ballets, réalisera enfin l'immense décoration du Pavillon de l'Electricité pour l'Exposition Internationale de 1937, qui reste la plus grande existant au monde. La XXVIe Biennale de Venise lui accordera son Grand Prix.

Dufy occupa à Paris *l'Atelier de l'Impasse Guelma* de 1911 à sa mort. L'oeuvre est révélatrice d'un art qui sait rester docile à la vérité, tout en prenant des libertés selon les exigences de la plastique. Si le bleu est ainsi fidèle à celui des murs de l'atelier, il envahit ici tout le tableau, caractéristique de cette peinture tonale que Dufy affectionnera après 1944. Les objets sont évoqués par une sténographie élégante et précise à la fois, la facture est laissée apparente. Sous sa séduisante facilité, cet art, en fait, a ainsi largement contribué à forger le langage libéré de la peinture contemporaine.

Bibliographie:

J. Lassaigne, RAOUL DUFY, Skira, Genève, 1954
R. Cogniat, RAOUL DUFY, Flammarion, Paris, 1962
    (Rep. p. 78)
Bernard Dorival et M. Hoog, LE LEGS DE MME RAOUL DUFY, Revue du Louvre, Paris, No. 4-5, 1963
Bernard Dorival, RAOUL DUFY AU MUSÉE NATIONAL D'ART MODERNE (Part No. 20), Musées Nationaux, Paris, 1965

12.   Raoul Dufy. *L'Atelier de l'Impasse Guelma.* 1935-1952

HENRI MATISSE
Cateau-Cambrésis, 1869 — Cimiez, 1954

Les trois oeuvres présentées offrent, dans l'oeuvre d'Henri Matisse, des jalons essentiels.

Le Luxe est la première version d'un motif que Matisse devait reprendre pendant l'hiver 1907-1908 dans le tableau du Musée de Copenhague. Esquisse d'après l'artiste, elle n'en présente pas moins tous les caractères d'une oeuvre achevée, aboutissement de 4 ans d'expériences sur le thème du bonheur de vivre. "La condensation des sensations" y atteint son maximum. Le décor de la baie de Collioure devient ici un support coloré quasi abstrait, déroulé en bandes parallèles de tons différents, qui rappellent les procédés de la fresque romane. Des figures, le volume est exprimé par une courbe synthétique, le mouvement par une arabesque ; le détail, l'accident que sont le modelé, la perspective, le jeu des couleurs sont bannis. Qualité décorative et qualité monumentale s'unissent ici étroitement.

Vingt ans plus tard, dans la *Figure décorative sur fond ornemental,* les couleurs sont devenues plus intenses sans que rien ne soit perdu de la finesse et de l'audace des accords. Le fond orné de motifs floraux se combine avec tout un jeu de plans. Les objets s'intègrent au décor sans toutefois être absorbés par lui. La figure enfin, tout en gardant son rôle décoratif, prend une plénitude et une solidité de sculpture.

Avec la *Nature morte au magnolia,* l'art de Matisse a atteint son point extrême de richesse et de pureté. Le trait gras, souple et sinueux, la couleur éclatante et unie, où participe le blanc de la toile resté vierge, l'équilibre enfin des objets distribués dans l'espace de la toile expriment l'apogée d'un style "matissien" où la simplicité extrême est aussi luxe suprême.

Bibliographie:

G. Diehl et A. Humbert, H. MATISSE, Tisné, Paris, 1954
J. Lassaigne, MATISSE, Skira, Genève, 1959

27. Henri Matisse. *Nature Morte au Magnolia.* 1941

26. Henri Matisse. *Figure Décorative sur Fond Ornemental.* 1927

MAURICE DE VLAMINCK
Paris, 1876 — Rueil, 1958

"Je l'aime mieux que mon père et ma mère !" déclare-t-il en sortant de l'exposition Van Gogh qui s'était tenue en 1901 chez Bernheim. Ce choc devait confirmer l'adhésion entière à la violence chez ce jeune athlète, violoniste et coureur cycliste, qui s'était bientôt lancé dans la peinture en dehors de tout apprentissage académique. C'est au cours de cette exposition que son ami Derain le présentera à Matisse. Vlaminck fréquentera pourtant plus volontiers Van Dongen et les peintres du Bateau-Lavoir.

En 1906, année du *Paysage aux arbres rouges,* Ambroise Vollard achète en bloc son atelier. Le tableau est une illustration exemplaire de l'esthétique des Fauves : triomphe du subjectivisme, tant dans le choix des couleurs que dans la touche qui garde l'empreinte du geste brut, triomphe aussi de l'intensité des sensations. Après 1907 cependant, comme chez Derain, l'influence de Cézanne viendra tempérer cette ardeur tandis que les thèmes se diversifient.

La fièvre de créer de Vlaminck trouvera encore un exutoire dans nombre de romans, de pamphlets et d'ouvrages autobiographiques.

Bibliographie:

M. *Génevoix,* VLAMINCK, Flammarion, Paris, 1956
M. *J. Selz,* MAURICE DE VLAMINCK, Flammarion, Paris 1963

43. Maurice de Vlaminck. *Paysage aux Arbres Rouges.* 1906

ANDRÉ DERAIN
Châtou, 1880 — Chambourcy, 1954

Ses premières leçons, il les prend à 15 ans d'un peintre de Châtou, puis travaillera à l'Académie Carrière. C'est là, en 1898, qu'il fait la connaissance de Matisse. Deux ans après seulement, il rencontre Vlaminck avec qui il nouera une amitié longue et orageuse. L'exposition Van Gogh de 1901 chez Bernheim-Jeune exercera sur eux une impression profonde. Chez Derain, elle s'ajoutera contradictoirement à celles de Gauguin et du néo-impressionnisme. En 1904, cependant, son style s'unifie et l'été de l'année suivante, rejoignant Matisse à Collioure, Derain peindra ses paysages fauves les plus intenses, avec cependant une gravité et un contrôle que ses deux amis ne possèderont pas toujours dans leurs oeuvres contemporaines.

Cette véhémence ne devait pas d'ailleurs, chez cet artiste épris, au fond de lui-même, de classicisme, se soutenir. En 1907, rencontrant Kahnweiler, il se lie avec les artistes de sa galerie et son oeuvre, désormais marquée par Cézanne et les Cubistes, s'éloignera peu à peu du Fauvisme.

Bibliographie:

G. Hilaire, DERAIN, Cailler, Genève 1949

11.   André Derain. *Vue de Collioure.* 1905

41. Kees Van Dongen. *Danseuse Espagnole.* v.1912

KEES VAN DONGEN

**Delfthaven, Pays-Bas, 1877 —
Côte d'Azur, 1968**

A 20 ans, il vient à Paris et connaît une courte période pointilliste. Bientôt apparaissent pourtant une telle violence dans sa couleur et une telle liberté dans sa facture que G. Duthuit pourra écrire : "Van Dongen a suivi de loin des recherches fauves, à moins qu'il ne les ait devancées dès 1895, sans y faire attention".

En 1908, il est invité à exposer à la Brücke à Dresde, et il semble que pendant quelques années encore il ait prolongé et développé les découvertes du fauvisme alors que ses compagnons de route s'orientaient vers des voies différentes, avant de devenir le portraitiste tout à la fois élégant et féroce du Tout-Paris des Années Folles.

Il est délicat de dater précisément les oeuvres anciennes de Van Dongen qui semble les avoir embrouillées à plaisir. *La Danseuse espagnole* que l'on datait ainsi généralement de 1907, la franchise et l'éclat de la couleur l'apparentant au meilleur de la période fauve, est probablement postérieure de quelques années. Elle aurait été faite pendant ou immédiatement après le premier voyage en Espagne de l'artiste. C'est en effet en 1911, à l'exposition de Bernheim-Jeune, qu'apparaissent les premiers titres espagnols chez Van Dongen. Le sujet et la palette ne sont pas non plus sans évoquer l'influence de Vélasquez.

Bibliographie:

Ch. Wentinck, VAN DONGEN, Amsterdam, 1963
Catalogue de la Rétrospective, VAN DONGEN, Musée National d'Art Moderne, Paris, 1967

23. Albert Marquet. *Portrait d'André Rouveyre.* 1904

ALBERT MARQUET
Bordeaux, 1875 — Paris, 1947

Dans l'atelier de Gustave Moreau, il fait connaissance de Rouault, de Camoin, de Manguin mais, surtout, rencontre Matisse dont il devient l'ami et le compagnon de combat. Au Louvre, ses préférences vont vers Poussin, Lorrain et Chardin, mais se tournent aussi ailleurs vers Van Gogh, les Impressionnistes et les Japonais. Fauve de la première heure, il expose aux Indépendants et au Salon d'Automne dès 1901. Il fait pourtant figure de solitaire. Aux oppositions violentes de tons purs il va bientôt préférer les rapports délicats des valeurs, à l'éclat du soleil, le rendu d'une atmosphère humide et brumeuse. Il est ainsi le peintre qui a su traduire avec le plus de poésie les paysages parisiens tout comme les paysages portuaires qu'il ne cesse de parcourir.

De ses débuts cependant datent certains portraits et figures, tel celui d'André Rouveyre qui, écrivain, dessinateur de talent et critique fut l'un de ses premiers amis et défenseur des Fauves. L'influence de Manet s'y fait particulièrement sentir.

Bibliographie:

Marcelle Marquet, MARQUET, Paris, 1951

36. Georges Rouault. *L'Accusé*. 1907

GEORGES ROUAULT

Paris, 1871 — Paris, 1958

Rouault est né parmi les artisans du quartier de Belleville, au moment des troubles révolutionnaires de la Commune de Paris, en 1871. Son art décrit la tragédie et la férocité de la société moderne.

En 1891, Rouault a commencé à fréquenter l'atelier de Gustave Moreau, et il s'est lié d'amitié avec les futurs Fauves qui étudiaient là. Cependant, il créa un art très différent du leur, et qu'il qualifiait de "confession brûlante". Cet art s'apparentait davantage à l'Expressionnisme nordique. De 1902 à 1913, il dénonça, dans ses peintures, l'hypocrisie et le luxe d'un monde que la Première Guerre Mondiale devait engouffrer. Avec sa série des "Juges", celle des "Prostituées", est peut-être la plus saisissante. L'aquarelle y atteint à une vigueur plastique qui rappelle Daumier ou Goya.

A cette peinture de la tragédie et de la comédie humaines ont succédé des paysages, des figures du Christ et des fleurs. L'aquarelle fut remplacée par l'huile dont la pâte s'épaissit et les couleurs s'illuminèrent. L'artiste devint plus serein. A quatre-vingts ans passés, l'artiste a transcendé son oeuvre dans une série de paysages bibliques et de Christ qui sont une sorte d'hymne à la joie. Bernard Dorival a écrit : "Monté comme Dante de l'Enfer au Paradis, Rouault a peint la Divine Comédie du 20ème siècle. Il est probablement le plus grand peintre religieux que la France ait connu depuis le 17ème siècle."

Bibliographie:

Bernard Dorival, GEORGES ROUAULT, Editions Universitaires, Paris, 1956

P. Courthion, GEORGES ROUAULT, Flammarion, Paris, 1963

35. Georges Rouault. *Au Miroir*. 1906

CHAÏM SOUTINE
Smilovitch, Lithuanie, 1894 — Paris, 1943

Dixième enfant d'une famille de tailleurs juifs, il se rend à Vilno pour échapper à la misère du ghetto et entre à l'Ecole des Beaux-Arts. En 1913, il débarque à Paris, s'inscrit dans l'atelier Cormon, habite le phalanstère de la Ruche, où vivaient déjà Chagall, Zadkine, Lipchitz et l'écrivain Cendrars. Années de misère, mais aussi de lectures multiples et d'études des maîtres anciens parmi lesquels Rembrandt et Courbet tiennent un rang privilégié. A partir de 1919, grâce à Zborowski, il va pouvoir vivre pendant trois années à Céret sa période la plus prolifique. A son retour, le Dr. Barnes lui achète une centaine de toiles.

C'est à Cagnes, à partir de 1925, que son art va connaître son épanouissement, caractérisé par des blancs dont il tirera un parti étonnant dans la série des *Pâtissiers* et des *Communiantes,* et des rouges dont les variations seront les *Grooms* et les *Enfants de Choeur.*

De ces séries, le *Groom* du Musée National d'Art Moderne, avec le *Chasseur* de la collection Rothschild, est l'un des plus beaux exemples, dans sa franchise abrupte et tragique.

Bibliographie:

M. *Castaing et J. Leymarie,* CHAÏM SOUTINE, La Bibliothèque des Arts, Paris-Lausanne, 1963

M. *Tuchman,* PORTRAITS DE SOUTINE, *Art de France,* n° IV, Paris, 1964

38. Chaïm Soutine. *Le Groom.* v. 1927

AMÉDÉO MODIGLIANI
Livourne, Italie, 1884 — Paris, 1920

Il descendait, dit-on, du côté maternel, du philosophe Spinoza. Son père était banquier. Sa jeunesse n'est guère heureuse ; de santé mauvaise, il doit interrompre ses études. C'est un paysagiste de Livourne qui lui apprend les rudiments de la peinture. En 1906, il part pour Paris et mène une vie de bohème dont les différents épisodes donneront plus tard naissance à sa légende de "peintre maudit".

Cézanne jouera un grand rôle dans son évolution, mais aussi Toulouse-Lautrec et Picasso. Dès ses premières oeuvres, dans le but d'intensifier l'expression de ses modèles, il appliquera certaines déformations. C'est encouragé enfin par Brancusi qu'il commencera à faire de la sculpture. On ne peut dire cependant que son art relève de l'expressionnisme ni de tel autre courant de la peinture contemporaine. Figure isolée, Modigliani n'aura connu ni précurseur ni épigone.

Le *Portrait de Dédie*, vraisemblablement peint en 1918, est caractéristique de l'art de Modigliani à son apogée. Il représente la compagne du peintre cubiste Hayden. Rarement les arabesques où s'inscrit la figure auront été plus harmonieuses. C'est dans l'art toscan que l'on voudrait trouver la source de cette qualité musicale du trait. L'accord puissant de la robe noire et du fond bleu est adouci par de légers reflets verts. Plus que dans les oeuvres antérieures, la touche est variée, multipliant frottis ou empâtements.

Bibliographie:

J. T. Soby, MODIGLIANI, Museum of Modern Art, New York, 1951
F. Russoli, MODIGLIANI, Milan, 1959
A. Ceroni, AMEDEO MODIGLIANI, Milan, 1959

30. Amédéo Modigliani. *Portrait de Dédie.* v.1918

25

MARC CHAGALL
Vitebsk, Russie, 1887 —

L'oeuvre exposée est une oeuvre capitale dans la production de l'artiste par son double intérêt plastique et iconographique. C'est un portrait du peintre. C'est aussi un portrait de Bella, son épouse et son inspiratrice. Chaque année, ou presque, Chagall, à l'anniversaire de son mariage, exécutait un tableau commémoratif où figuraient les deux époux. C'est enfin une évocation de la Russie, indissolublement liée à sa vie et à son art. Après 4 ans passés en France, dans le phalanstère de la Ruche, où l'artiste devait subir l'impact du Cubisme et de l'Orphisme, Chagall retournait en Russie en 1914 pour y être nommé Commissaire aux Armées. En 1917, l'année de l'oeuvre, il retournait à Vitebsk, sa ville natale.

La fantasmagorie des couleurs, aériennes et éclatantes, rappelent l'Orphisme tandis que l'étirement des figures, les plis cassés des vêtements, la désarticulation des membres évoquent l'expérience cubiste, tout comme la géométrie du pont et de la ville. A Chagall appartiennent en propre la fantaisie du thème, l'onirisme de ces figures sans poids survolées par un ange, l'évocation d'une atmosphère de légende ou de conte populaire.

Bibliographie:

L. Venturi, CHAGALL, Skira, Genève, 1956
F. Meyer, CHAGALL, Flammarion, Paris, 1964

A Droite:

7. Marc Chagall. *Double Portrait au Verre de Vin.* 1917

ANDRÉ DUNOYER DE SEGONZAC
Boussy-Saint-Antoine, 1884 —

Après avoir fréquenté différents ateliers, dont celui de Jean-Paul Laurens et l'Académie la Palette, il se lie avec Boussingault et Luc-Albert Moreau. Avec eux, en 1908, il découvre St. Tropez et peint quelques paysages d'une facture proche de l'Impressionnisme. Peu à peu, cependant, la personnalité puissante s'affirme à travers des toiles robustes et surchargées de pâte.

Champion d'un néo-réalisme dru qui s'est développé à l'écart de tous les mouvements de la peinture contemporaine, Dunoyer de Segonzac est resté fidèle à exprimer les paysages de Provence ou d'Ile de France, les travaux et les jours, la beauté d'une nature charnelle et quotidienne.

Autant que ses tableaux, ses aquarelles, lumineuses et frémissantes, l'ont rendu célèbre. Il est enfin l'auteur d'une oeuvre importante de gravure, illustrateur des *Croix de bois* de R. Dorgelès, et des *Géorgiques* de Virgile. En 1933, il obtenait le prix Carnegie, et l'année suivante, le prix de peinture à la Biennale de Venise.

Bibliographie:

Claude Roger-Marx, DUNOYER DE SEGONZAC, P. Cailler, Genève, 1951

R. Hauert et Bernard Dorival, SEGONZAC, Kister, Genève, 1956

37.   André Dunoyer de Segonzac.
Les Baigneurs. 1922

MAURICE UTRILLO

Paris, 1883 — Dax, 1955

Montmagny était un village de la banlieue nord de Paris où Suzanne Valadon, la mère d'Utrillo, possédait une petite propriété, à la Butte Pinson. A la belle saison, elle venait y passer quelques semaines en compagnie de son fils. C'est là qu'Utrillo peindra ses premières toiles, de 1903 à 1906, dans le style impressionniste, poussé vers la peinture par sa mère, dans l'espoir de le détourner d'un alcoolisme dont il est déjà la victime.

C'est là qu'il retournera, en 1909, pour échapper aux tourments de la vie parisienne, aux affronts et aux rixes avec ses compagnons de beuverie sur la Butte Montmartre. La localité, en retrait de la route nationale, restait encore charmante et pittoresque, parsemée de vergers et de vignes et habitée par des maraîchers à l'humeur aimable. Utrillo devait peindre, dans ce havre de paix, quelques-unes de ses meilleures toiles.

De celles-ci, le *Jardin de Montmagny* est à la charnière de deux périodes. La facture des arbres rappelle encore les tableaux antérieurs, exécutés sur les mêmes lieux, de même que la lumière plombée. Mais la maison du fond ainsi que le mur latéral à droite annoncent déjà l'expressivité de la période blanche, la volonté chez le peintre, qui va bientôt mêler la colle et le plâtre à sa couleur, de donner à l'image peinte la réalité même de son objet.

Bibliographie:

P. Pétridès, L'OEUVRE COMPLET DE MAURICE UTRILLO, Paris, 1959

40.   Maurice Utrillo. *Le Jardin de Montmagny.*   v.1909

15. Juan Gris. *Nature Morte sur une Chaise.* 1917

JUAN GRIS
Madrid, 1887 — Boulogne-sur-Seine, 1927

Après des études à l'Ecole des Arts et Manu-
factures de Madrid, il vient à Paris en 1906
et, au Bateau-Lavoir, fait la connaissance de
son compatriote Picasso. Ce n'est qu'en 1911
cependant qu'il adhère au Cubisme dont il
maniera vite la langue comme un parfait
styliste. Deux ans plus tard, il inverse toutefois sa démarche traditionnelle, cherchant,
selon son expression, à "concrétiser ce qui
est abstrait", c'est-à-dire à partir cette fois
de la forme géométrique pure pour arriver
à l'objet. Il est ainsi, avec Picasso, le créateur de ce Cubisme synthétique qui succé-
dait au Cubisme analytique de la première
phase et dont la *Nature morte sur une chaise*
de 1917 est un parfait exemple.

Mais l'apport le plus précieux de Gris
réside dans la rigueur hautaine d'un art conçu
plus comme une discipline que comme un
exercice de style. Le dépouillement de la
composition, la sévérité des tons "chargent"
l'oeuvre d'une résonance morale singulière
qui fait regretter la disparition prématurée
de l'artiste.

Bibliographie:

David Kahnweiler, JUAN GRIS, SA VIE, SES
OEUVRES, SES ÉCRITS, Gallimard, Paris,
1946

James T. Soby, JUAN GRIS, Museum of Modern
Art, New York, 1958

ROGER DE LA FRESNAYE
Le Mans, 1885 — Grasse, 1925

D'une vieille famille de noblesse normande, il reçoit une solide culture classique. A l'Académie Julian, il aura pour condisciples Segonzac, Lotiron, Luc-Albert Moreau, puis, à l'Académie Ranson, Maurice Denis pour professeur. C'est en 1910 qu'il adhère au Cubisme, non pas celui illustré par Braque et Picasso, mais à celui défini par le groupe de la Section d'Or. Avec ses compagnons Marcel Duchamp, Gleizes, Léger, il partagera d'abord le même souci d'exprimer le dynamisme de la vie moderne, la même volonté de figurer les formes en mouvement : c'est *L'Artillerie* de 1912. L'année suivante cependant, avec *l'Homme assis,* le changement est complet : statisme et retour à des couleurs très vives, bleus intenses, rouges légers, blancs crémeux. Son goût à représenter la figure comme sa façon de donner à ses compositions rigoureuses une enveloppe lumineuse aérienne, donnent à son "cubisme" une inflexion toute particulière où s'unissent force et pureté, ampleur et délicatesse.

Mort précocement des suites de blessures subies lors de la première guerre, La Fresnaye est toujours resté secrètement admiré, tant de ses contemporains que de peintres plus jeunes qui ont vu dans son oeuvre l'un des plus féconds dépassements de la formule cubiste.

Bibliographie:

G. Seligman, ROGER DE LA FRESNAYE, New York, 1945
R. Cogniat et W. George, ROGER DE LA FRESNAYE, Paris, 1950
Catalogue de l'exposition, ROGER DE LA FRESNAYE, Musée National d'Art Moderne, Paris, 1950

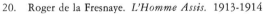

20. Roger de la Fresnaye. *L'Homme Assis.* 1913-1914

FERNAND LÉGER

Argentan, 1881 — Gif-sur-Yvette, 1955

Après des études d'architecture à Caen et à Paris, il se tourne vers la peinture en 1903 et s'installe à la Ruche. Très influencé par Cézanne, il en tire des conclusions autres que celles de Braque et de Picasso, marquées qu'elles sont par l'influence des Orphistes français et des Futuristes italiens. Il fait ainsi partie, en 1910, du groupe de la Section d'Or, pratiquant cependant un cubisme singulier, fondé sur des emboîtements de cylindres et de cônes, qu'Apollinaire nommera "Tubisme", d'où s'évanouira toute figuration.

La première guerre, l'expérience du front, le ramènent à la réalité. La machine, les accessoires de la vie contemporaine deviennent part importante de son inspiration, tandis que les contrastes de tons succèdent aux contrastes de formes. L'année de l'*Elément mécanique* sera aussi celle du film *Le Ballet Mécanique,* réalisé en collaboration avec Man Ray.

De 1931 date son premier voyage aux Etats-Unis où il retournera à plusieurs reprises, vivement impressionné par les villes américaines leur grouillement, leurs jeux de lumière. Découverte des ressources de l'espace qui trouvera à s'exprimer dans ses décors muraux et ses mosaïques, comme dans les grandes *Compositions* monumentales où la figure humaine se retrouve intégrée plastiquement aux choses de la nature comme aux outils du monde industriel.

"Fernand Léger, écrit Jean Cassou, a vécu dans une réalité actuelle du monde, laquelle, en son instante nouveauté, en sa jubilation d'être, en son exaltation, se présentait sous un aspect mécanique."

Bibliographie:

A. Verdet, FERNAND LÉGER, LE DYNAMISME PIC-TURAL, Cailler, Genève, 1955

M. Jardot, FERNAND LÉGER, Hazan, Paris, 1956

R. L. Delevoy, LÉGER, Skira, Paris, 1962

Thomas Messer, LÉGER, Guggenheim Museum, New York, 1962

21.   Fernand Léger. *Elément Mécanique.* 1924

22. Fernand Léger. *Composition aux Deux Perroquets.* 1935-1939

GEORGES BRAQUE
Argenteuil, 1882 — Paris, 1963

A 20 ans, dans les paysages portuaires du Havre, d'Anvers et de La Ciotat, il participe avec son ami Othon Friesz à l'expérience fauve. Pourtant, bien qu'aux Indépendants, en 1907, il ait exposé avec succès, il abandonne la même année les couleurs violentes pour une peinture quasi-monochrome où les formes naturelles apparaissent cassées par une géométrie abrupte : c'est le temps du premier Cubisme, où se mêlent les influences de la statuaire "nègre" et celles de Cézanne. Son envoi au Salon d'Automne de 1908 est cette fois refusé. Exposé chez Kahnweiler, il s'attire, du critique Louis Vauxcelles, qui reprenait ainsi le mot de Matisse, l'épithète de "cubes", qui devait donner naissance au terme de "Cubisme" pour désigner la forme d'art ainsi créée. De 1910 à 1913 une étroite amitié le lie à Picasso avec qui il élabore les formules du Cubisme dit analytique. Après l'interruption de la guerre où il est grièvement blessé, Braque revient à un art plus détendu, plus docile aux données du réel et au coloris moins austère. Nus, intérieurs et paysages succèdent aux seules natures mortes.

Dans les années 40, son art va atteindre à sa plénitude où l'on aime à reconnaître les caractéristiques les plus hautes de la culture classique française: puissance et mesure, raffinement et pudeur. De l'objet le plus humble, comme autrefois un Chardin, Braque nous fait alors pressentir le secret de sa présence au monde. Après 1950, dans les séries de ses *Ateliers* et de ses *Oiseaux en vol* comme dans le plafond qu'il peint au Palais du Louvre, avec une admirable brièveté d'expression, Braque, à la limite extrême du réel et du rêve, dévoile dans ses dernières oeuvres cette "secrète royauté" des êtres et des choses dont parle André Malraux.

Bibliographie:

Gieure, GEORGES BRAQUE, Tisné, Paris, 1956

Jean Paulhan, BRAQUE LE PATRON, Gallimard, Paris, 1966

6. Georges Braque. *La Sarcleuse.* 1961-1963

33. Pablo Picasso. *Rideau de Scène pour Parade.* 1917

PABLO PICASSO

Malaga, 1881 —

Du "Protée de la peinture contemporaine" qu'est Picasso on trouvera à l'exposition 3 oeuvres caractéristiques chacune d'un moment de sa production.

Le Portrait de Jeune Fille de 1914 est caractéristique du cubisme analytique parvenu à son dernier stade. Le personnage est comme désincarné, ayant perdu son poids, sa densité, son volume. Ne reste plus qu'un agencement savant de formes géométriques, agrémenté d'un jeu décoratif de motifs floraux et de mouchetis.

De cet art protéiforme, le rideau de *Parade* offre un autre aspect. La ballet, d'après un argument de J. Cocteau et sur la musique d'Erik Satie, devait être représenté par Diaghilev le 18 Mai 1917 au théâtre du Châtelet. Picasso avait réalisé les décors, les costumes et le rideau de scène. Le parti pris est ici celui de l'art populaire. Les figures sont ramenées à un seul comme dans certaines images d'Epinal, présentées tour à tour de profil ou de front. Les personnages semblent les descendants insouciants et heureux des saltimbanques désolés de l'époque rose.

L'Aubade atteste que le prodigieux novateur qu'est Picasso est resté obsédé par la peinture traditionnelle.

On y reconnaît, transposées dans le registre cubiste, la composition et le sujet même de la *Venus écoutant de la musique* du Titien du Musée du Prado. On sait quel parti le peintre a tiré depuis de cette contemplation des Maîtres, de Velasquez à Delacroix, où il a puisé l'inspiration de séries de "répliques" picassiennes. Cette toile offre de plus l'intérêt d'être très caractéristique du cubisme que l'on peut dire expressionniste que Picasso a élaboreé sous l'influence du Surréalisme et le choc des événements tragiques de la guerre d'Espagne et de la 2ème guerre mondiale. Les formes torturées, le dessin tranchant, le coloris acide et sourd tout à la fois, concourent, de pair avec l'impression étouffante d'espace clos, (Picasso a supprimé le Paysage du Titien) à créer un climat d'étrangeté et d'angoisse qui est celui même des noires années où fut peinte cette toile.

Bibliographie:

Alfred H. Barr, Jr.: PICASSO, 50 YEARS OF HIS ART, Museum of Modern Art, New York, 1946

Alfred H. Barr, Jr.: PICASSO, 75TH ANNIVERSARY EXHIBITION, Museum of Modern Art, New York, 1957

Bernard Dorival: SCHOOL OF PARIS IN THE MUSÉE D'ART MODERNE, Abrams, New York, 1962

34.   Pablo Picasso. *L'Aubade.* 1942

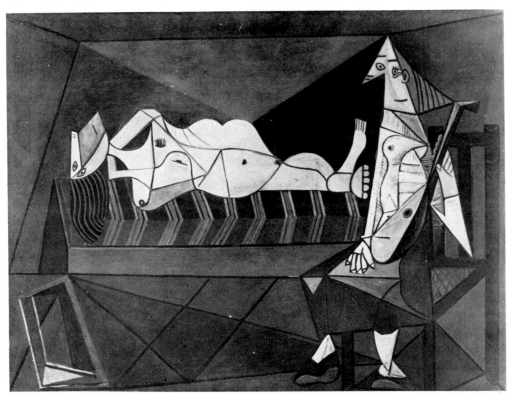

FRANÇOIS KUPKA
Opocno, Tchécoslovaquie, 1871 — Puteaux, 1957

Il est, avec Picabia, Kandinsky et les époux Delaunay, l'un des pionniers de l'art abstrait. Il est aussi l'un des premiers artistes d'avant-garde d'origine étrangère à s'être fixé à Paris dès 1895. Formé à l'Académie de Prague à la peinture académique, il se révolte contre elle en découvrant quelques tableaux français réalistes et impressionnistes exposés en Bohème. Il hésite alors entre un symbolisme nourri d'Odilon Redon et un vérisme qui n'hésite pas à s'appuyer sur la photographie. C'est cette dernière pourtant qui devait l'entraîner loin des sentiers battus. Dès 1903, intrigué par les images obtenues par la chromophotographie, il va s'efforcer, bien avant Marcel Duchamp et les Futuristes italiens, de retraduire le mouvement d'une figure. Découpant ses toiles en série de bandes parallèles, il créait ainsi ces *Plans par couleur* qui sont à l'origine de la peinture abstraite.

De ces pionniers de l'art abstrait, il devait être le seul à explorer simultanément les deux régistres d'une abstraction dynamique dite "lyrique", formes bouillonnantes, explosions de taches, enchevêtrement de cercles et de spirales — et d'une abstraction statique dite "géométrique" —, structures sévères de carrés et de rectangles qui devaient précéder de deux ans au moins les recherches d'un Malevitch.

C'est au premier de ces régistres qu'appartient *Bouillonnement Violet*. Comme dans ses oeuvres fameuses des *Printemps cosmiques* qui dominent les années 1914 à 1922, les formes ici évoquent la genèse d'un monde à travers des bouillonnements et des efflorescences dont la palette sait traduire l'inquiétante splendeur.

Bibliographie:

J. Cassou et D. Fédit, KUPKA, Tisné, Paris 1964

D. Fédit, L'OEUVRE DE KUPKA, Inventaire des Collections Publiques françaises, no 13, Paris 1966

19. François Kupka.
Bouillonnement Violet. 1920

ROBERT DELAUNAY
Paris, 1885 — Montpellier, 1941

Il commence à peindre très jeune, d'abord d'après nature puis, à partir de 1905, dans un style proche du néo-impressionnisme. Avec la série des *Tours,* il se rapproche de l'esthétique cézannienne : "recherches de plans colorés ou plutôt lumineux qui détruisent l'objet", écrit-il. L'oeuvre essentielle de cette période est *La Ville de Paris* (1911-1912), exemple monumental d'un Cubisme qui, à l'opposé de celui analytique d'un Braque ou d'un Picasso, reste fidèle à la vision synthétique du maître d'Aix tout en témoignant plus d'ampleur quant aux sujets traités.

A partir de 1912, la série des *Fenêtres* renouvelle entièrement son inspiration ; cette peinture où la couleur, à nouveau vive, est traitée selon la loi des contrastes simultanés et où la réalité n'est plus évoquée qu'allusivement sera baptisée, par le poète Guillaume Apollinaire, *Orphisme.* Mais déjà cette poésie de la couleur annonçait l'époque des *Cercles Chromatiques,* de 1912 à 1914, qui marquaient la floraison en France de la peinture alors appelée "inobjective" et qu'on dirait aujourd'hui abstraite, annoncée, trois ans auparavant, par le *Caoutchouc* de Picabia. La couleur y est forme et sujet, pur développement d'elle-même comme le développement d'un thème musical, désormais libérée de toute référence naturaliste, symbolique ou sentimentale.

Après 1930, Delaunay introduit une dimension temporelle dans son oeuvre en rythmant ses *Disques* selon des répétitions, des cadences et des intervalles rigoureux : ce sont les séries des *Rythmes colorés* puis des *Rythmes sans fin.* Cet art appelait alors l'architecture : en 1937, lors de l'Exposition Internationale de Paris, Delaunay réalise d'immenses décorations pour le Palais des Chemins de Fer et pour le Pavillon de l'Aéronautique qui constituent peutêtre l'aboutissement de son art, annonçant avec vingt ans d'avance les "environnements" de l'art visuel contemporain.

Bibliographie:

Gilles de la Tourette, ROBERT DELAUNAY, Librairie Centrale des Beaux-Arts, Paris, 1950

Michel Hoog, ROBERT ET SONIA DELAUNAY, Inventaire des Collections Publiques Françaises, Paris, 1967

8.   Robert Delaunay. *Formes Circulaires.* 1912-1913

9.   Robert Delaunay. *Panneau de l'Entrée du Hall des Réseaux.* 1937

SONIA DELAUNAY
Ukraine, Russie, 1885 —

Dès ses débuts, écrit-elle d'elle-même, "Ses Maîtres spirituels étaient Van Gogh pour l'intensité, et Gauguin pour la recherche des surfaces colorées planes". C'est en effet leur influence qu'on retrouve dans ses tableaux fauves de 1907. Auparavant pourtant, elle avait, pendant deux ans, étudié le dessin en Allemagne, selon une discipline fort sévère et que seule la découverte du Cubisme assouplira. En 1910, elle épouse Robert Delaunay avec qui elle partage les mêmes idées sur l'art. "Les Delaunay en se réveillant parlent peinture", dira d'eux Apollinaire. Ils vivront en effet en symbiose, s'influençant et s'encourageant mutuellement. Elle, cependant, débordera la peinture pour appliquer son libre jeu de couleurs à des reliures, à des papiers collés, comme à l'illustration du *Transsibérien,* le poème de son ami Cendrars. C'est aussi à ce moment-là qu'elle compose les premières études pour son *Bal Bullier.*

Prismes Electriques constitue le point culminant de l'oeuvre de Sonia Delaunay avant la guerre de 1914. Elle est née des observations de l'artiste devant le spectacle des éclairages électriques alors dans leur nouveauté.

Après la guerre et un long et fructueux séjour au Portugal et en Espagne où les Delaunay se lient avec Diaghilev, Sonia, tout en continuant dans ses tableaux ses recherches sur les rythmes et les mouvements de la danse, commence d'appliquer systématiquement aux tissus son génie de coloriste: ce sont les "Robes Simultanées" aux formes géométriques pures et aux tons contrastés.

Après la seconde guerre, devenue veuve, elle participe à la fondation du 1er Salon des Réalités Nouvelles, qui, consacré à l'illustration de l'art abstrait, reprenait les idées que Robert Delaunay avait enseignées dès avant 1939. Ces dix dernières années, les Musées de Grenoble, Bielefeld, Turin, Lyon, Paris, ont consacré, à son oeuvre d'importantes rétrospectives.

10. Sonia Delaunay.
Prismes Electriques. 1914

JACQUES VILLON
Damville, 1875 — Puteaux, 1963

De sa mère peintre et de son grand-père, le graveur Emile Nicolle, le voisinage créateur favorisa ses débuts précoces. Plus tard, les échanges d'influence viendront encore avec ses deux frères Raymond Duchamp et Duchamp-Villon. Il n'a pas terminé ses études secondaires au Lycée de Rouen qu'il alimente les journaux humoristiques du temps de croquis et caricatures où se retrouve l'influence de Forain, Lautrec et Steinlen. Il se lance en même temps dans la lithographie, l'affiche et la gravure. Après 1910, c'est la peinture qui l'emporte. Le Cubisme l'attire, sous sa forme la plus intellectuelle ; son atelier de Puteaux devient même l'un des centres du mouvement où se réunit régulièrement le groupe de la Section d'Or. S'y élaborait une discipline dont les éléments s'empruntaient à l'Egypte et aux Pythagoriciens aussi bien qu'à la "vision pyramidale" de Vinci et aux théories de Seurat. Cette exigence de découvrir le "chiffre" du réel poussera à deux reprises Villon jusque dans l'abstraction : de 1919 à 1922 puis en 1932-33. Ces mêmes années cependant, il peint de nombreux portraits, laissant libre cours à son goût du visage humain. Les tons sont clairs et purs, distribués selon des architectures à la fois rigoureuses et délicates. Après la Seconde Guerre, la couleur est souvent plus vive et inattendue, citron et rose, appliquée à de lumineux paysages. Elle influencera Manessier, Bazaine, Pignon.

Génie précoce mais dont la gloire publique sera tardive. Il participe à l'*Armory Show* en 1913 et l'Amérique ne cessera guère de s'intéresser à lui — il obtient, en 1951, le Prix Carnegie. La consécration viendra en 1956, avec le Premier Prix de la Biennale de Venise.

42.   Jacques Villon. *L'Aventure (Homme Regardant un Petit Bateau).* 1935

VASSILI KANDINSKY
Moscou, 1866 — Paris, 1944

En 1933, le Bauhaus ayant été fermé sur ordre du gouvernement nazi, Kandinsky quitte définitivement l'Allemagne pour la France et vient s'installer à Neuilly-sur-Seine. Six ans plus tard, il acquiert la nationalité française. Il connaissait cependant déjà bien la France. En 1905-1906, un séjour d'une année avait eu une influence décisive sur son évolution en le mettant au contact de la peinture française contemporaine. L'exemple du Fauvisme en particulier devait déterminer son glissement vers l'irréalisme expressionniste puis abstrait.

Installé à Paris définitivement, Kandinsky devait y reprendre et regrouper tous les éléments dont il avait, à Dessau, affirmé la possession, en un grand effort de synthèse. S'il s'était en effet attaché jusque-là à analyser et à définir, selon une méthode quasi-sérielle, les divers éléments du vocabulaire abstrait : flèches, croix, cercles, grilles, etc., il va cette fois les utiliser et les rassembler dans des constructions complexes, régies par un ordre impérieux.

Telle est, de 1936, la *Composition IX* dont la richesse et la densité expliquent le titre ambitieux. Ce n'est que 3 ans plus tard, en effet, que Kandinsky devait à nouveau aborder le problème des *Compositions,* et réaliser *Composition X.* Celle de 36, claire et lumineuse, fait évoluer, devant de grandes diagonales colorées, des formes blanches dont l'épanouissement et la certitude expriment une sorte d'allégresse assez rare chez le peintre.

Bibliographie:

Will Grobmann, VASSILI KANDINSKY, Flammarion, Paris 1958

Catalogue de l'exposition, KANDINSKY, Paris, Musée National d'Art Moderne, Paris 1963

18. Vassili Kandinsky. *Composition IX.* 1936

FRANCIS PICABIA
Paris, 1879 — Paris, 1953

Son père, Cubain, descendait d'une vieille famille de noblesse espagnole, sa mère, de la bourgeoisie française. Son oncle, Conservateur de la Bibliothèque Sainte-Geneviève et ami de Daguerre, cherchera à le dissuader de s'engager dans la peinture qu'il voyait condamnée par les progrès de la photographie. Picabia, plus tard, s'en souviendra quand il imaginera une peinture sans sujet ni représentation objective. Ses débuts sont pourtant fort académiques : à l'atelier Cormon où il obtient sans peine ses diplômes, puis pendant dix ans quand il peint un millier de toiles de facture post-impressionniste qui lui vaudront un succès extraordinaire.

De plus en plus préoccupé cependant par "une autre peinture", il dessine, dès 1907, des formes purement abstraites qui aboutiront au *Caoutchouc* de 1909. Il participe ensuite aux réunions de la Section d'Or. En 1913, *l'Armory Show* lui est l'occasion d'un voyage à New-York où il rencontre Stieglitz et son groupe de "291". Sur le bateau, à l'aller, la rencontre de la danseuse Napierkowska et celle d'un père dominicain lui inspireront à son retour, dans une fièvre créatrice intense, les deux grandes toiles complémentaires d'*Udnie* et d'*Edtaonisl* qui, exposées au Salon d'Automne de 1913, soulèveront des tempêtes de protestations mais aussi l'admiration de Guillaume Apollinaire.

Jusqu'à sa mort, Picabia ne cessera pas d'être le plus grand défenseur de la liberté en art, n'inventant une forme ou ne participant à un mouvement que pour vouloir les dépasser au profit de nouvelles expériences. C'est, de 1917 à 1921, l'aventure Dada et la fondation successive de deux revues *291* et *391,* qui paraîtront irrégulièrement à Paris, Barcelone et New-York. Ce sont, en 1924, les décors et les costumes du ballet *Relâche,* puis les diverses expositions surréalistes, le retour ensuite à la figuration.

Bibliographie:

Catalogue de l'exposition, PICABIA, Musée Cantini, Marseilles, 1962

Michel Sanouillet, PICABIA, L'OEIL DU TEMPS, Paris 1964

31.   Francis Picabia. *Udnie (Jeune Fille Américaine,* ou *La Danse.)* 1913

17. Auguste Herbin. *Génération.* 1959

AUGUSTE HERBIN
Quiévy, 1882 — Paris, 1960

Il commence ses études à l'Ecole des Beaux-Arts de Lille puis, en 1901, se rend à Paris. Ses premières toiles sont impressionnistes mais, cinq ans plus tard, au Salon des Indépendants où il expose pour la première fois, c'est, dans la structure et dans la couleur, l'influence de Cézanne et celle de Van Gogh qui dominent. S'éloignant de plus en plus de la représentation littérale du réel, son envoi de 1908 est refusé, en même temps que celui de Braque, par le jury du Salon d'Automne, tandis que le mot "cube" est, à propos de cette manifestation, pour la première fois prononcé.

Dès avant la Première Guerre cependant, Herbin altérait le sens de son "cubisme" en introduisant dans ses toiles des formes géométriques pures qui finiront, de 1917 à 1921, par envahir le tableau. De 1922 à 1925, il connaît une nouvelle, mais brève période figurative. De 1926 à la Seconde Guerre, une deuxième période abstraite est caractérisée par une prédominance de formes sinueuses. Après 1940, il y a un retour aux formes géométriques simples et le plus souvent rectilinéaires, où dominent triangles, carrés et cercles. Les tons sont purs et intenses, sans aucun jeu de matière.

Dans la postérité du mouvement *De Stijl* — il collabore avec Vantongerloo à la fondation du groupe *Abstraction-Création* — et précurseur de l'art optique, Herbin est l'un des représentants majeurs de l'abstraction géométrique dont il a, en 1949, défini les principes dans son livre *L'Art non figuratif non objectif.*

Bibliographie:

A. Jakovski, AUGUSTE HERBIN, Editions Abstraction-Création, Paris, 1933

16. Auguste Herbin. *Air, Feu.* 1944

46

JEAN ARP
Strasbourg, 1887 — Bâle, 1966

Après avoir publié ses premiers poèmes, à 17 ans, il suit successivement les cours de l'Ecole des Arts Décoratifs de Strasbourg, puis de celle de Weimar, alors dirigée par Henry Van de Velde, enfin de l'Académie Julian à Paris. En 1911, il participe à la première exposition du *Moderne Bund* avec Herbin, Matisse et Picasso. La même année, il rencontre Kandinsky et adhère au *Blaue Reiter.* Dès lors, ses activités se multiplient : il fait connaissance de Robert Delaunay, collabore au *Sturm,* réalise collages, tapisseries et gravures. Réfugié en Suisse pendant la guerre, il rencontre Sophie Taeuber qui diviendra sa femme. 1916 : c'est la fondation, au Cabaret Voltaire, à Zurich, du mouvement Dada en compagnie de Hugo Ball, Emmy Hennings, Marcel Janco, Tristan Tzara et Huelsenbeck. L'année suivante, il réalise ses premiers reliefs abstraits en bois. Son activité se confond avec celle de Dada, tout comme elle va, à partir de 1925, s'identifier, de près ou de loin, au mouvement surréaliste. De 1926 à 1928, en particulier, il collabore, avec sa femme et Théo van Doesburg, aux aménagements de *l'Aubette,* à Strasbourg, qui compterait au rang des premiers chefs-d'oeuvre de l'art abstrait si elle n'avait été détruite.

En 1930, il délaisse les reliefs en bois pour la ronde-bosse en marbre ou en plâtre et participe à la création du mouvement *Abstraction-Création.* En 1954, il reçoit le Grand Prix International de Sculpture de la Biennale de Venise.

Non seulement Jean Arp a ainsi joué un rôle essentiel dans les grands mouvements qui ont bouleversé l'esthétique dans ce premier demi-siècle, mais il a encore laissé une oeuvre poétique considérable, tant de langue française qu'allemande.

Bibliographie:

ZWEIKLANG — SOPHIE TAEUBER ARP — HANS ARP (Poèmes, souvenirs et témoignages), Verlag der Arche, Zürich, 1960

Catalogue de l'exposition, JEAN ARP, Musée National d'Art Moderne, Paris, 1962

1.   Jean Arp. *Ombre de Fruit.* 1930

13. Max Ernst.
Fleurs de Coquillages. 1929

MAX ERNST

Brühl, Allemagne, 1891 —

Universitaire avant la Première Guerre, il songe plus à la peinture qu'aux études académiques. L'amitié d'August Macke, la rencontre d'Arp le décident à tenter le grand jeu. 1916 : Dada naît à Zurich. 1919 : Ernst participe à la première exposition Dada à Cologne. 1920 : il est à Paris, invité par André Breton à y exposer ses premiers collages. C'est le début d'une longue route avec les Surréalistes où le poète Paul Eluard sera son compagnon privilégié.

Succédant aux collages pratiqués dès 1919, viennent en 1925 les frottages, autre moyen de "forcer l'inspiration" en provoquant des associations libres, proches de celles de l'écriture automatique et qui donneront naissance à son *Histoire Naturelle*. Pendant la Seconde Guerre, Ernst, réfugié aux USA, continuera dans cette voie lorsqu'il appliquera, en 1943, dans son tableau *Abstract Art, Concret Art*

une technique que les peintres new-yorkais, en la reprenant, baptiseront "dripping" tout en la privant souvent de son contenu psychologique pour ne plus vouloir exploiter que son simple résultat visuel.

A la fin de la guerre, il épouse Dorothea Tanning avec qui il passera plusieurs années dans le désert d'Arizona, occupé à peindre. Il retourne à Paris en 1953 et, en 1958, est naturalisé Français.

Les *Fleurs de coquillages,* dont il existe quelques autres variations, ressortissent au procédé du frottage ; mais c'est ici la couleur, non plus la mine de plomb qui, frottée et râclée mécaniquement au couteau, en ondes concentriques, a engendré la métaphore fleur-coquillage.

Bibliographie:

P. Waldberg, MAX ERNST, Pauvert, Paris, 1958
Catalogue de l'exposition, MAX ERNST, Musée National d'Art Moderne, Paris, 1959

48

14.   Max Ernst. *Mère et Enfant dans un Jardin Ensoleillé*. 1953-1954

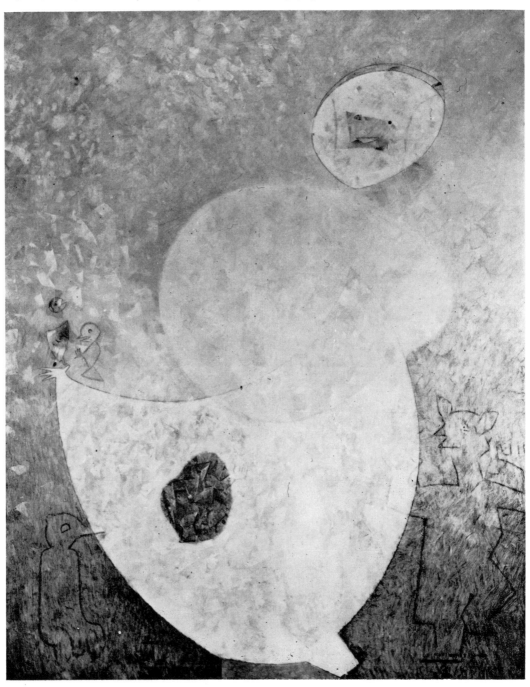

JOAN MIRÓ
Montroig, Espagne, 1893 —

Né en Catalogne, dans un pays qui fut un des berceaux du style roman et riche en ateliers de fresquistes et d'enlumineurs, Miró entre à 14 ans à l'Ecole des Beaux-Arts de Barcelone mais décide bientôt de travailler en dehors de l'enseignement officiel. Son premier séjour à Paris date de 1919; il y subit l'influence cubiste mais bientôt, au contact des poètes et des peintres Dada et surréalistes, trouve une voie plus conforme à son tempérament. C'est sous le patronage d'André Breton qu'il expose en 1925 à Paris à la Galerie Pierre et, la même année, participe à la première exposition du groupe.

Dans les oeuvres qu'il présente alors Miró est déjà tout entier : ses formes schématisées, souvent réduites à des graffiti s'enlevant sur des fonds délicatement préparés, ses quelques couleurs élémentaires, sa fantaisie, son humour et sa fraîcheur d'invention.

Pendant la Deuxième Guerre Mondiale, il quitte la France pour l'Espagne. C'est ce séjour dans sa terre natale dont la *Course de Taureaux* nous redonne le souvenir narquois ; le graphisme peut aussi bien y évoquer celui des jeux de marelle de l'enfance que celui des gravures préhistoriques du Levante espagnol.

Cet art à deux dimensions a encore trouvé son expression dans les décors de théâtre et de ballet comme dans la céramique, ainsi du mur exécuté pour le Palais de l'UNESCO à Paris, ou des totems réalisés pour la Fondation Maeght.

Bibliographie:

J. Dupin, MIRÓ, Flammarion, Paris, 1961
J. T. Soby, MIRÓ, Museum of Modern Art, New York, 1959

28.   Joan Miró. *La Course de Taureaux.* 1945

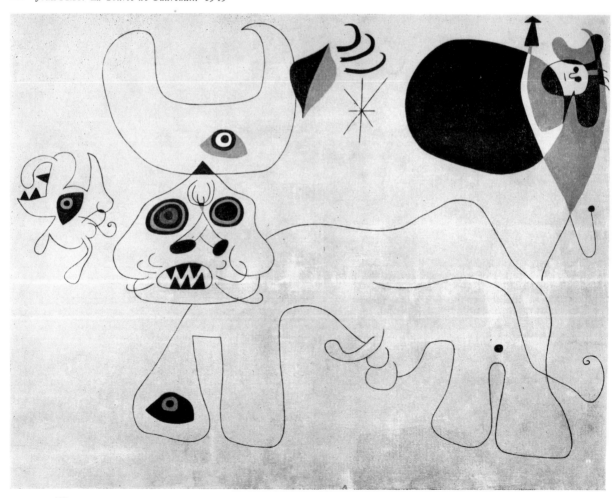

29.   Joan Miró. *Message d'Ami.* 1965

39. Yves Tanguy. *Jours de Lenteur*. 1937

YVES TANGUY
Paris, 1900 — Woodbury, Connecticut, 1955

Tanguy, naturalisé Américain en 1948, a sa place dans cette exposition auprès de Masson, de Miró, et de Max Ernst pour y représenter une autre face du surréalisme.

Quoique né au coeur de Paris, Tanguy était d'ascendance bretonne, ce qui l'amena à embrasser tout d'abord la carrière de marin, à se lier avec le poète Jacques Prévert, breton comme lui, et à séjourner à Locronan dont les landes semées de monuments mégalithiques ont inspiré sans doute, fut-ce inconsciemment, ses paysages en apparence les plus inventés. Il commence à peindre en 1923 et l'influence de De Chirico comme son absence de formation lui font aimer des paysages "naïfs" étrangement vides.

Tout le prédisposait à devenir membre du groupe surréaliste qui l'accueille avec chaleur en 1925 et dont il restera un des représentants à la fois les plus en vue et les plus orthodoxes.

Jours de Lenteur le montre pratiquant le métier soigneux, quasi illusionniste, qu'une partie des surréalistes emprunte aux "pompiers" pour mieux souligner l'insolite ou le fantastique de leurs sujets. Mais Tanguy y ajoute l'étrangeté de formes inventées, qui participent à la fois du monde minéral et du monde animé, qu'il place dans d'immenses étendues traduites suivant une perspective subtilement déréglée.

Bibliographie:

James T. Soby: YVES TANGUY, Museum of Modern Art, New York, 1955

ANDRÉ MASSON

Balagny, 1896 —

Né en Ile-de-France, c'est à l'Académie des Beaux-Arts de Bruxelles qu'il fait son premier apprentissage. Une oeuvre de James Ensor, raconte-t-il, "fut son premier contact émotif avec la peinture moderne". A Paris, plus tard, il reçoit chez Paul Baudouin, une formation de fresquiste. Il ne commencera vraiment à peindre qu'en 1922. Il fréquente alors Juan Gris, Derain, puis Miró et les poètes Antonin Artaud, Leiris, Aragon, André Breton enfin. Ainsi, dès 1924, participera-t-il aux activités du groupe surréaliste. Il pratique alors le dessin automatique.

Ses premiers tableaux de sable, nés de la nécessité de combler l'écart entre la rapidité du dessin et la lenteur de l'exécution à l'huile par l'automatisme du sable projeté sur la toile encollée, datent de 1927. Ce recours à la spontanéité gestuelle, proche du "dripping" que Max Ernst, également réfugié aux USA, découvrira vers 1942, aura une large influence sur Jackson Pollock et la jeune peinture américaine.

Combinant les prestiges d'une écriture sténographique, tour à tour automatisme pur ou calligraphie complexe, à ceux d'une couleur fulgurante, l'oeuvre de Masson n'a pas cessé d'illustrer les mythes retrouvés de la tragédie grecque : Eros et Thanatôs y dessinent les diverses figures de la fatalité humaine.

En dehors de la peinture, Masson a réalisé de nombreux décors de théâtre, de ceux des *Présages* de 1933 à ceux de *Wozzeck* en 1963. Son activité de décorateur s'est même étendue lorsqu'il a réalisé tout récemment le nouveau plafond pour l'Odéon — Théâtre de France. Masson a reçu, en 1954, le Grand Prix National des Arts.

Bibliographie:

M. Leiris et G. Limbour, ANDRÉ MASSON ET SON UNIVERS, Edition des Trois Collines, Paris-Genève, 1947

Catalogue de l'exposition, ANDRÉ MASSON, au Musée National d'Art Moderne, Paris, 1965

24. André Masson. *Le Couple.* 1958

Section 2

VICTOR BRAUNER
Roumanie, 1903 — Paris, 1966

A Bucarest, son père invitait chez lui des médiums pour des séances de spiritisme où le jeune Victor servait souvent d'assistant ou de sujet. Vers 1925, il expose ses premières toiles, fonde une éphémère revue, *75 HP,* et invente la *pictopoésie,* union du poème et du tableau dont on pourra, par exemple, retrouver un écho tardif dans son *Autobiographie* de 1948. A Paris, en 1930, il est accueilli par son compatriote Brancusi. Mais c'est Tanguy qui l'introduit au sein du groupe surréaliste et Breton qui préface sa première exposition, en 1934, à la Galerie Pierre. Brauner fera désormais du surréalisme sa raison de vivre et de créer.

En 38, il perd un oeil dans un accident : événement que, par une sorte de prémonition, il avait plusieurs fois évoqué dans des toiles antérieures et qui modifiera profondément son art. Maintes fois le peintre aura l'impression que son oeuvre a le pouvoir d'anticiper sur l'événement ou même d'agir sur son déroulement à la façon d'un exorcisme. De ce point de vue, l'art de Brauner, qui mêle ainsi magiquement l'art à la vie d'une manière concrète, serait le seul à respecter le credo surréaliste.

Fantastique par ses thèmes d'inspiration qui restent groupés autour de quelques grands cycles - révolutions de l'âme, cataclysmes intérieurs - Cycle des Chimères, Cycle hermétique puis, après la rupture d'avec le Surréalisme, en 1948, Cycle des Rétractés, cette oeuvre est emblématique par la forme : linéaire, sans profondeur ni temporalité, elle recrée des images archétypales, blasons et signes à la fois, qui évoquent aussi bien les images du jeu de tarot que les peintures sur sable des Indiens.

Bibliographie:

Sarane Alexandrian, VICTOR BRAUNER L'ILLUMINATEUR, Cahiers d'Art, Paris, 1954

Alain Jouffroy, VICTOR BRAUNER: *Une Révolution du regard.* Paris, Gallimard, 1964

64.   Victor Brauner. *La Ville.* 1959

MIODRAG DJURIC DADO

Cétinje, Yougoslavie, 1933 —

Vit en France depuis 1956. Plusieurs expositions particulières à Paris (Galerie Daniel Cordier, 1958-1964 ; Galerie André François Petit, 1967), New York (Galerie Daniel Cordier, 1962-1965). Participe à un grand nombre de manifestations internationales (Carnegie Institute, Pittsburgh, 1967).

59. Pierre Bettencourt. *Présence Occulte.* 1967

68. Miodrag Djuric Dado. *Le Mauvais Elève de Vesale.* 1967

PIERRE BETTENCOURT

Normandie, 1917 —

Plusieurs expositions à Paris (Galeries René Drouin, Daniel Cordier, Arditti). Amitiés avec des écrivains surréalistes (Pieyre de Mandiargues). Travail solitaire. Vit en Bourgogne.

WIFREDO LAM
Sagha La Grande, Cuba, 1902 —

Etudes, de 1920 à 1924, à l'Académie des Beaux Arts de La Havane. De 1924 à 1936, vit à Madrid puis, en 1937, à Barcelone. Arrive à Paris en 1938. Rencontre André Breton, Max Ernst, Victor Brauner et Oscar Dominguez. Participe au mouvement surréaliste. Picasso lui présente Pierre Loeb. En 1941, aux Antilles avec André Breton, André Masson et Claude Lévi-Strauss. En 1942, arrive à New York et expose à la Galerie Pierre Matisse. De 1947 à 1952, nombreux voyages. 1957-1958 : Membre de The Graham Foundation for Advanced Study in Fine Arts de Chicago. Participe aux grandes manifestations internationales. Vit à Albisola Mare (Italie) et à Paris.

Bibliographie:

Jacques Charpier, LAM, Le Musée de Poche, Paris, 1950

97. Wifredo Lam. *La Toussaint.* 1966

126. Joseph Sima. *Terre Lumière.* 1967

JOSEPH SIMA
Jaromer, Tchécoslovaquie, 1896 —

Etudie à l'Académie de Prague, chez Jan Preisler. Assistant à l'Ecole Polytechnique de Brno. Se fixe à Paris à partir de 1922, et obtient la nationalité française. Directeur artistique de la revue para-surréaliste *Le Grand Jeu* (1928-1931). Abandonne la peinture pendant la guerre de 1940-1945, puis reprend ses pinceaux à partir de 1947. Plusieurs expositions personnelles à Paris (Galerie Le Point Cardinal). Travail solitaire. Vit à Paris.

MATTA (Roberto Echaurren)

Santiago, Chili, 1912 —

A 17 ans, à l'Ecole des Beaux-Arts de Santiago, il songe à devenir architecte. Carrière que, peu d'années plus tard, Le Corbusier, avec qui il travaille un temps, lui prédit très brillante. Matta, pourtant, y renonce pour se mettre à peindre. Breton s'enthousiasme pour ses premières toiles et, jusqu'en 48, Matta sera dès lors l'un des enfants terribles du groupe surréaliste, et participera à l'édition illustrée des *Chants de Maldoror* : la découverte de Lautréamont le bouleverse. Les Etats-Unis sont, pendant la guerre, des premiers à le reconnaître : en 1958, le Musée d'Art Moderne de New-York lui consacre sa première grande rétrospective.

"Je ne m'intéresse qu'à l'inconnu, dit Matta, et je travaille pour mon propre étonnement. Cet étonnement devant mes tableaux vient du fait que des structures en apparence très éloignées de l'anthropomorphie sont capables de communiquer la nature de l'homme et sa condition avec beaucoup plus de ressemblance qu'elle".

Il est représenté par plusieurs peintures au Museum of Modern Art de New York, et dans les principaux musées d'art moderne du monde. Expositions personnelles : Galeries Matisse, Janis, Iolas (New York), Frumlin (Chicago), Drouin et Iolas (Paris). Vit aux environs de Paris.

Bibliographie:

Alain Jouffroy, LE RÉALISME OUVERT DE MATTA et LA "QUESTION" DE MATTA: *Une Révolution du Regard,* Gallimard, Paris, 1964

107. Matta. *Grimau: Alive on Target.* 1964-1965

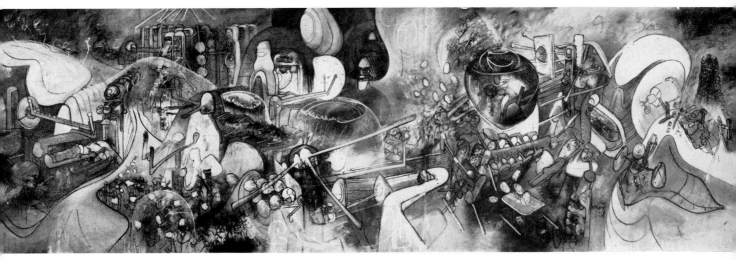

59

CHARLES LAPICQUE
Theizé, 1898 —

Etudes d'ingénieur. Jeanne Bucher, dès 1925, puis Pierre Loeb, s'occupent de sa peinture. Amitié, à partir de 1931, avec Bazaine, Manessier et Villon. Poursuit des recherches scientifiques sur les contrastes des valeurs. Collabore en 1941 à l'exposition "Jeunes peintres de tradition française", Galerie Braun. Expose par la suite à la Galerie Carré, puis à la Galerie D. René, à la Galerie Galanis et à la Galerie J. Dubourg. Nombreux voyages maritimes et séjours en Italie (1953-1957). Nombreuses expositions rétrospectives. Vit à Paris.

Bibliographie:
Jean Lescure, LAPICQUE, Galanis, Paris, 1956

63. Francisco Bores. *Soir d'Eté.* 1965

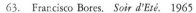

99. Charles Lapicque. *La Vie d'un Tigre.* 1961

FRANCISCO BORES
Madrid, 1898 —

Participe, en 1922, au groupe d'avant-garde madrilène des Ultraïstes. Arrive à Paris en 1925. Influence du Surréalisme, de Picasso et Juan Gris. 1929, séjour à Grasse qui transforme sa manière. Evolue vers un intimisme fantastique. Travail solitaire. Expositions personnelles Galerie Carré (1956) et Galerie Villand-Galanis (1966-1967). Vit à Paris.

GILLES AILLAUD

Paris, 1928 —

Première exposition personnelle Galerie Niepce à Paris en 1952. Participe depuis 1959 au Salon de la Jeune Peinture et depuis 1964 au Salon de Mai. Prix Fénéon en 1959. Manifestations communes avec les peintres Arroyo et Recalcati ("Une passion dans le désert" — "Vivre et laisser mourir"). Plusieurs expositions personnelles à Paris : 1963, Galerie Claude Levin ; 1966, Galerie du Dragon. Vit à Paris.

ALBERTO GIACOMETTI

Stampa, Suisse, 1901 — Coire, Suisse, 1966

Fils de Giovanni Giacometti (1868-1933), peintre impressionniste connu. Peint sa première oeuvre en 1913. En 1920-1921, voyage à Venise. Sculpteur, il recommence à peindre en 1947 d'après nature, natures mortes, paysages et portraits. Expose chez Pierre Matisse à New York, en 1948 et 1950; chez Maeght à Paris, en 1951. Rétrospectives au Solomon R. Guggenheim Museum de New York et à Londres (Arts Council) en 1955. Participe, en 1956, à la Biennale de Venise. Prix Carnegie de sculpture en 1961 ; Grand Prix de sculpture à la Biennale de Venise (1962) ; Prix Guggenheim (1964). Rétrospectives au Musée des Beaux-Arts de Zürich (1964), au Museum of Modern Art de New York et à la Tate Gallery de Londres, en 1965.

Bibliographie:

Jacques Dupin, ALBERTO GIACOMETTI, Maeght, Paris, 1963

82. Alberto Giacometti. *Portrait de Mme Maeght.* 1961

54. Balthus. *Les Trois Soeurs.* 1965

BALTHUS

Paris, 1903 —

Expose à Paris chez Pierre Loeb en 1933, puis à partir de 1938, chez Pierre Matisse à New York. Expositions rétrospectives à New York en 1956, à Paris en 1966 (Musée des Arts Décoratifs). Actuellement, Directeur de la Villa Medici à Rome.

Bibliographie:

James T. Soby, BALTHUS, Museum of Modern Art, New York, 1956
Catalogue de l'exposition, BALTHUS, Musée des Arts Décoratifs, Paris, 1966

JEAN HÉLION

Couterre, 1904 —

Etudes d'ingénieur à Lille, d'architecture à Paris. Rencontre, en 1926, Torrès-Garcia qui lui fait connaître l'oeuvre des cubistes. Rencontre van Doesburg en 1930, et collabore à "Art concret". En Russie en 1931. Membre d' "Abstraction-Création" de 1932 à 1934. 1934-1939 : en Amérique. Fait prisonnier pendant la guerre, puis évadé. En octobre 1942, revient aux Etats-Unis. Abandonne l'abstraction et expose ses nouvelles recherches figuratives en 1944, chez Paul Rosenberg. 1945 : exposition personnelle au Baltimore Museum of Art. Revient à Paris en 1946. Voyages (Italie, Angleterre, Autriche). Etés à Belle-Ile en Mer. Travail solitaire. Vit à Paris.

90.   Jean Hélion. *Au Cycliste.* 1939

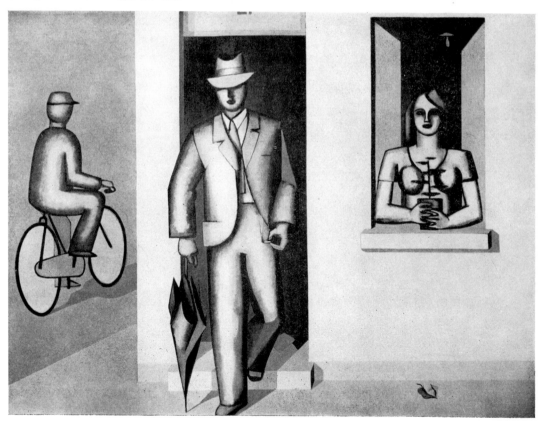

MAURICE ESTÈVE

Culan, 1904 —

Typographe, dessinateur d'ameublement, il passe un an à Barcelone (1923) avant de se consacrer à la peinture. Recherche une synthèse *forme-espace-lumière*. Collabore avec Delaunay à la décoration des Pavillons de l'aviation et des chemins de fer, à l'Exposition Universelle de 1937. Expositions Galerie Carré (1948) et Galerie Galanis (1955-1956). Rétrospective au Musée de Copenhague (1956) et de Hanovre. Travail solitaire. Vit à Paris.

Bibliographie:

Joseph-Emile Muller, ESTÈVE, Hazan, Paris, 1961

76.   Maurice Estève. *Les Trois Tables.* 1939

ALBERTO MAGNELLI

Florence, 1888 —

Autodidacte en matière d'art. Fréquente en 1913 les
futuristes puis, lors d'un séjour à Paris en 1914,
Apollinaire, Max Jacob, Picasso, Léger et Gris. En
1915, à Florence, réalise une série de toiles abstraites
géométriques. Retourne ensuite pendant vingt ans à
la peinture figurative. Revient à Paris en 1933. Après
la série des "pierres éclatées", retrouve l'abstraction.
Nombreuses expositions importantes (Galerie R.
Drouin, 1947; Palais des Beaux Arts de Bruxelles,
1954). Vit à Paris.

Bibliographie:

André Verdet, MAGNELLI Le Musée de Poche, Paris, 1961

101. Alberto Magnelli. *Les Paysans à la Charette.* 1914

57. André Beaudin. *La Bicyclette.* 1951

ANDRÉ BEAUDIN

Mennecy, 1895 —

Elève de l'Ecole des Arts Décoratifs, de 1911 à 1913.
Voyage en Italie en 1921, et rencontre cette même
année Juan Gris; en est profondément marqué. Max
Jacob préface, en 1923, sa première exposition personnelle. A exposé depuis lors à Londres, à New York,
à Buenos Aires. Importante rétrospective à Berne,
en 1953. Graveur et lithographe, il a illustré plusieurs ouvrages : *Les Bucoliques* de Virgile, des
poèmes d'Eluard, Hugnet et Francis Ponge. A réalisé
d'importantes tapisseries monumentales. Vit à Paris.

MARIE-HÉLÈNE VIEIRA DA SILVA
Lisbonne, Portugal, 1908 —

Naturalisée Française en 1956. Elle est très jeune lorsqu'elle commence à fréquenter les musées européens. Se fixe à Paris en 1927. Elle apprend la sculpture chez Bourdelle et Despiau, la gravure chez Hayter, et fréquente les ateliers de Friesz et de Léger. Epouse, en 1930, le peintre A. Szenes. Nombreux voyages en Europe et en Amérique du Sud pendant la seconde guerre mondiale. Expositions particulières à la Galerie Jeanne Bucher depuis 1933, à la Galerie Pierre depuis 1949. Participe régulièrement au Salon de Mai. Grand Prix de la Biennale de Sao Paulo. Grand Prix National des Arts (1966). Représentée dans les plus importantes collections françaises et étrangères.

Bibliographie:

René de Solier, VIEIRA DA SILVA, Le Musée de Poche, Paris

148.   Marie-Hélène Vieira da Silva. *L'Esplanade.* 1967

NICOLAS DE STAËL

Saint-Pétersbourg, Russie, 1914 — Antibes, 1955

Apparenté aux Staël-Holstein dont le nom avait été rendu célèbre en France par l'auteur de *Corinne*. Chassé avec sa famille par la Révolution, et devenu orphelin en 1922, le jeune Nicolas reçoit à Bruxelles une éducation accomplie : études classiques et beaux-arts. Il excelle alors au tennis et à l'équitation. A 16 ans, aux Pays-Bas, il découvre Frans Hals, Rembrandt, Vermeer, Seghers le paysagiste . . . Ces rencontres, après celles de l'expressionnisme flamand, auront une influence profonde sur son art. A Paris, tout en peignant des décors pour subsister, il copiera Chardin et s'enthousiasmera pour Matisse, Soutine et Picasso. Le Sud, ce n'est qu'à 21 ans qu'il le découvre, en Espagne, au Maroc, en Algérie, pour se laisser peu à peu conquérir par cette autre lumière. Après la guerre — il s'est engagé dans la Légion Etrangère —, et au terme de ces années vagabondes et pénibles, le peintre rencontre la Fortune sous la forme d'un courtier américain qui contribuera à rendre Staël célèbre aux Etats-Unis tandis que la France reconnaissait son génie en 1954, à l'exposition de la Galerie Dubourg. Un an plus tard, au terme d'un destin fulgurant, une mort volontaire le fauchait en pleine activité.

L'oeuvre de Nicolas de Staël bouscule sans cesse l'opposition "abstraction-figuration", tout comme elle refuse à s'inscrire dans un courant de l'art contemporain. En l'absence même de tout sujet, la toile garde un caractère pathétique qui l'éloigne définitivement de l'angélisme désincarné de l'abstraction pure. Conjonction de la puissance et de la grâce, *Les Toits,* par le raffinement extraordinaire de leurs gris comme par leur appareil cyclopéen maçonné à la truelle, traduisent la pesanteur des choses et la liquidité du ciel qu'unit une même lumière. Simplicité suprême d'où ont été bannis l'accidentel et le multiple.

Il est représenté dans de nombreuses collections particulières et musées américains, et dans les grands musées européens (Londres, Paris, Bâle, Dusseldorf).

Bibliographie:

Gindertaël, NICOLAS DE STAËL, Paris, 1951
Pierre Lecuire, VOIR NICOLAS DE STAËL, Paris, 1953
Antoine Tudal, NICOLAS DE STAËL, Le Musée de Poche, Paris, 1958

132.   Nicolas de Staël. *Composition (Les Toits).* 1952

ARPAD SZÈNES

Budapest, 1900 —

Arrive à Paris en 1925 et travaille avec Lhote, Léger, Bissière. Expose aux Surindépendants, de 1932 à 1938. Atteint l'abstraction dès 1932. Séjour au Brésil, de 1939 à 1947. Participe au Salon de Mai. Expositions particulières à Lisbonne, à Rio de Janeiro et, à plusieurs reprises, Galerie Jeanne Bucher à Paris. Vit à Paris.

GENEVIÈVE ASSE

Vannes, 1923 —

Etudes à l'Ecole Nationale des Arts Décoratifs de Paris. Participe aux principaux Salons parisiens (Salon de Mai, Salon des Réalités Nouvelles). Expositions personnelles en 1960 à Milan (Galerie Lorenzelli), en 1962 à Paris (Galerie Schoeller), en 1964 à Zürich (Galerie Lienhart), en 1965 à Oslo (Kunsternes Hus), en 1966 à Lausanne (Deuxième Salon des Galeries Pilotes). Vit à Paris.

135. Arpad Szenes. *Développement Vertical de l'Horizon.* 1967

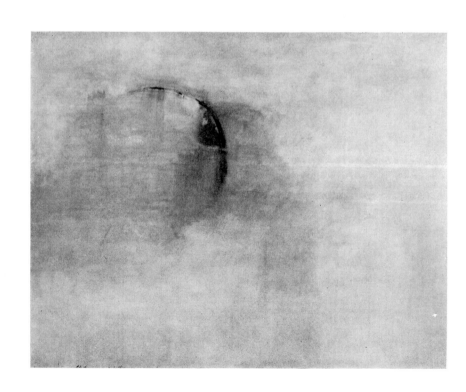

50. Geneviève Asse.
Cercle — Paysage. 1966

143.   Geer Van Velde. *Composition.* 1962

GEER VAN VELDE

Lisse, Hollande, 1898 —

Arrive à Paris en 1925. Expose au Salon des Indépendants de 1926 à 1930. Première exposition à Paris, Galerie Maeght, en 1946. En 1948, expose à New York, Galerie Kootz. Participe aux grandes manifestations internationales (Bruxelles, 1958 ; Documenta II à Cassel, 1959 ; Biennale de Sao Paulo, 1963). Vit à Paris.

66.   Pierre Charbonnier. *Fenêtres.* 1960-1963

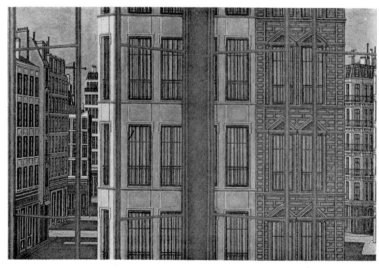

PIERRE CHARBONNIER

Vienne (Isère), 1897 —

Etudes à l'Ecole des Beaux-Arts de Lyon et à l'Académie Ranson. Amitié avec Vuillard et Ker Xavier Roussel. Travail solitaire. A réalisé des décors de cinéma pour Robert Bresson. Vit à Paris.

PAUL REBEYROLLE

Eymoutiers (Haute-Vienne), 1926 —

Passionné de dessin depuis l'enfance, arrive en 1945 à Paris pour se consacrer à la peinture. S'oriente alors vers un réalisme violent. Prix de la Jeune Peinture en 1950; prix Fénéon en 1951. Expose au Salon de Mai. Nombreuses expositions personnelles (Maison de la Pensée française, 1956; Galerie Schoeller; Galerie Maeght, 1967). Vit à Montrouge près de Paris.

120. Paul Rebeyrolle. *Sans Titre.* 1965

123. Antonio Saura. *Portrait Imaginaire de Goya n° I.* 1966-1967

ANTONIO SAURA

Huesca, Espagne, 1930 —

Commence à peindre vers 1946, puis est atteint d'une longue maladie. Vit à Paris de 1953 à 1957 et fréquente le groupe surréaliste. Expose en 1956 au Museo de Arte Contemporaneo de Madrid. Fondateur à Madrid du groupe El Paso. Expose à Paris (Galerie Stadler, 1957, 1959, 1963, 1965, 1967), à New York (Galerie Pierre Matisse, 1961-1964) et dans plusieurs musées d'art moderne (1963, Bruxelles, Palais des Beaux-Arts; 1964, Amsterdam, Stedelijk Museum; 1966, Londres, Institute of Contemporary Art). Prix Guggenheim en 1960, Prix Carnegie en 1964. Représenté dans les principaux musées internationaux d'art contemporain. Vit à Madrid et à Paris.

113. Louis Nallard. *Objet sur un Mur.* 1965

LOUIS NALLARD
Alger, 1918 —

Etudes secondaires à Alger. Commence très jeune à exposer dans cette même ville. Première exposition non figurative en 1945. S'établit à Paris en 1947. Voyages en Hollande et en Espagne. Expositions particulières Galerie Jeanne Bucher (1957-1967). Participe régulièrement au Salon de Mai. Vit à Paris.

R. E. GILLET
Paris, 1924 —

Ecole Boulle (1939), Ecole des Arts Décoratifs (1944). Professeur, de 1946 à 1948, à l'Académie Julian. Participe, à partir de 1955, au Salon de Mai. Nombreuses expositions particulières à Paris (Galeries Craven, Ariel, Galerie de France) et à l'étranger (Galerie Lefebvre, New York 1961). Prix Fénéon, 1954. Prix Catherwood, 1955. Vit aux environs de Paris.

83. R. E. Gillet. *La Cène.* 1965

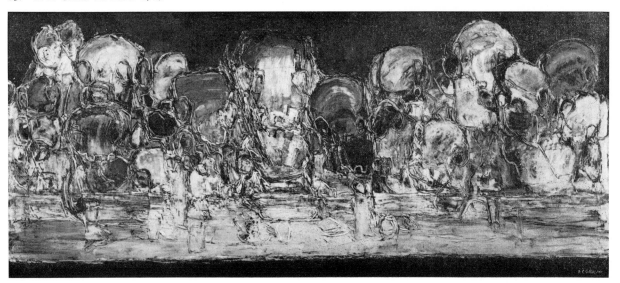

112. Richard Mortensen. *Opus Rouen*. 1956

72. Jean Dewasne. *Badia*. 1967

RICHARD MORTENSEN
Copenhague, 1910 —

Deux ans d'Académie à Copenhague puis travaille seul. Découvre à Berlin l'oeuvre de Kandinsky. Première oeuvre abstraite en 1933. A Paris en 1937. Fait partie du groupe Denise René. Compose des décors de théâtre pour l'*Histoire du Soldat* de Ramuz. Prix Edouard Munch en 1946, prix Kandinsky en 1951. Oeuvre de graveur. Vit à Paris et Copenhague.

JEAN DEWASNE
Lille, 1921 —

Etudes classiques jusqu'en 1ère supérieure de philosophie. Etudes musicales très poussées. Ancien élève de l'Ecole Nationale des Beaux-Arts de Paris. Deux ans d'architecture. Expose pour la première fois en 1941. Premier tableau abstrait en 1943. Est un des premiers peintres qui militent pour l'abstraction après la dernière guerre avec Hartung, Schneider, de Staël, Poliakoff, Soulages . . . En 1946 reçoit le Prix Kandinsky. Contribue à la fondation des "Réalités Nouvelles". En 1950 fonde "l'Atelier d'Art Abstrait" où l'on étudie les plus récents progrès de la technique plastique. Organise pendant trois ans les "Conférences d'Art Abstrait", face à l'Eglise St-Germain-des-Prés. A inventé les "Anti-sculptures" en 1951. Plusieurs voyages et expositions en Europe et dans les Amériques. Nombreux articles et conférences. Vit à Paris.

135. Kumi Sugai. *National Route n° 6.* 1965

KUMI SUGAÏ

Kobe, Japon, 1919 —

Etudes à l'Ecole des Beaux-Arts d'Osaka. Arrive à Paris en
1952. A présenté depuis de nombreuses expositions personnelles à Paris (Galerie Creuzevault, 1958-1963) et New-
York (Galerie Kootz, 1959-1960-1964 ; Galerie Lefebre,
1967). Rétrospectives au Stadtisches Museum de Leverkusen
(1960), au Kestner-Gesellschaft de Hanovre (1963), au
Kunstnernes Hus de Oslo (1967). A réalisé une importante
mosaïque au building Margarin-Union de Hambourg. Oeuvre
de graveur et de lithographe. Prix David E. Bright Foundation de la Biennale de Venise (1962). Prix de la Biennale de
Sao Paulo en 1965. Grand Prix de la Biennale de Gravure de
Cracovie en 1966. Vit à Paris.

62.   Roger Bissière. *Le Jardin Cette Nuit.* 1961

ROGER BISSIERE
Villeréal, 1888 — Boissiérettes, 1964

Après avoir subi l'Ecole des Beaux-Arts de
Bordeaux, il monte à Paris en 1910. Les
rencontres de Lhote et de Braque seront
décisives pour ce jeune provincial. En 1920,
collaborant à l'*Esprit Nouveau* du Corbusier,
il y écrit ses fameuses *Notes* sur Seurat,
Ingres et Corot, "dans la plus pure tradition
française". Ballotée à travers les styles, sa
peinture reste toutefois hésitante et souvent
académique. Professeur en 1925 à l'Académie
Ranson, il aura pour élèves Manessier, Le
Moal, Bertholle et jouera donc un rôle essentiel, si discret ait-il été, sur le développement
d'un des courants les plus importants de la
peinture française contemporaine.

En 1939, son installation à Boissiérettes,
dans le Lot, est le tournant capital de sa vie
et de son art. Il y exécute, pendant la guerre,
ses grandes tentures d'étoffes assemblées et
brodées et, de 1947 à sa mort, dans ses
Images sans titre, ses bois gravés pour le
Cantique de Saint-François, son *Journal*
enfin, atteindra douloureusement et tardive-
ment à sa vérité. Ses peintures, paysages intérieurs autant que naturels, sont les saisons
et les châteaux du coeur ; s'y réalise l'équilibre du signe et de la sensation.

Bissière, pudique et solitaire, s'est toujours
tenu à l'écart des honneurs officels. En 1964,
son oeuvre occupe la grande salle du Pavillon français à la Biennale de Venise, mais
il se refuse à concourir, trop occupé à ses
dernières oeuvres, tout empreintes de gravité
et de sagesse.

De son vivant et après sa mort, la France,
les Pays-Bas, l'Allemagne lui ont consacré de
grandes rétrospectives.

Bibliographie:

Catalogue de l'exposition BISSIÈRE, Musée National d'Art Moderne, Paris, 1959

Catalogue de l'exposition BISSIÈRE Musée des
Arts Décoratifs, Paris, 1966

JEAN BAZAINE
Paris, 1904 —

En mai 41 s'ouvrait à la Galerie Braun l'exposition "Jeunes Peintres de la Tradition Française" qui, groupant Manessier, Lapicque, Pignon et bien d'autres, éclatait comme le manifeste d'une nouvelle génération d'artistes contre les théories esthétiques de l'occupant. Bazaine en avait été l'organisateur. Sa première formation avait été d'un sculpteur. Bonnard et Gromaire l'encouragèrent à peindre. C'est à eux qu'il dut encore de ne jamais oublier en art l'importance de ce que le second appelait "la charge utile" du réel. "J'ai toujours été sollicité, écrit Bazaine dans ses remarquables *Notes sur la peinture d'aujourd'hui,* par la géométrie intérieure des formes plus que par leur apparence. Le "contour" ne m'a jamais été sensible . . ." Ses dessins illustrent aisément ses propos : s'y découvrent l'unité de l'univers, l'identité fondamentale des "remous de l'arbre" et de "l'écorce de l'eau", de la pierre et du visage, du mouvement interne du danseur et de la poussée du tronc. Peuvent

alors se lever, dans ses toiles, "sous la pluie des apparences, les grands signes essentiels" qui sont à la fois la vérité du peintre et celle de l'univers. Cet art somptueux et sacral demandait l'appui d'un monument : après ceux d'Assy, Bazaine est l'auteur des vitraux du déambulatoire de Saint-Séverin à Paris, achevés l'an dernier.

Il participe aux grandes manifestations internationales : Biennale de Sao Paulo (1951), Younger European Painters (New York, 1953), The New Decade (New York, Museum of Modern Art, 1955), Documenta II et III (Cassel, 1959, 1964). Rétrospectives à Berne en 1958, au Musée National d'Art Moderne de Paris, en 1966. Publie de nombreux articles et un essai : *Notes sur la peinture d'aujourd'hui* (1948-1953/1955). Vit à Paris.

Bibliographie:

BAZAINE, *Ouvrage Collectif,* Maeght, Paris, 1953

Catalogue de l'exposition, BAZAINE, Musée National d'Art Moderne, Paris 1965

56.   Jean Bazaine. *Zeeland.* 1957

51. Jean Atlan. *La Kahena*. 1958

JEAN ATLAN
Constantine, 1913 — Paris, 1960

"La peinture est une aventure qui met l'homme aux prises avec les forces redoutables qui sont en lui et hors de lui : le destin, la nature . . ." écrivait Jean Atlan. Cette définition presque apocalyptique de la création artistique devrait suffire à dénier à son oeuvre l'épithète d'abstraite qu'on lui accole encore. Dramatique, souvent violente, ce qu'elle exprime, c'est la lutte indéfiniment poursuivie des forces organiques contre les pouvoirs de la mort. Arabesques charbonneuses qui donnent à la toile sa structure essentielle et comme son rythme. Jaunes et orangés phosphorescents ne correspondent pas tant à des préoccupations purement rationnelles et plastiques comme dans l'art abstrait proprement dit, qu'ils, ne se parent d'un pouvoir magique et incantatoire : graphisme et couleur célèbrent ici le culte d'une énergie primitive où se retrouvent la mémoire des arts africain et berbère, le souvenir du sol natal, le retour aux origines.

Le destin d'Atlan sera aussi fulgurant que sa peinture. Quittant l'Algérie pour venir passer à Paris une licence de philosophie, il ne se consacre à son art qu'après 1944. L'année suivante chez Mourlot, il illustre de lithographies la *Description d'un combat* de Kafka. A partir de 1955, c'est le plein accomplissement de son art et bientôt la gloire, tardive, et qu'il ne goûte que quelques mois ; une maladie foudroyante l'emporte le 12 février 1960.

La Kahena évoque le souvenir de cette reine juive fabuleuse qui réussit, au VIIème siècle de notre ère, à étendre sa domination sur les tribus berbères de la Tunisie, mais échoua à vaincre les Arabes et mourut solitaire, abandonnée même de ses proches.

Rétrospective au Musée National d'Art Moderne de Paris en 1963.

Bibliographie:

Bernard Dorival, ATLAN, Tisné, Paris, 1962

ALFRED MANESSIER
Saint-Ouen, 1911 —

Elève de Bissière à l'Académie Ranson, il y rencontre Le Moal et Bertholle. Avec eux et Bazaine, il participera, en 1941, à l'exposition des "Jeunes Peintres de tradition française". Deux ans plus tard, un bref passage à la Grande Trappe de Soligny marquera sa vie : après Rouault, Manessier est devenu le premier peintre religieux français du XXe siècle.

D'une famille d'artisans originaires de Picardie, il a gardé le goût des horizons nus, de sable et d'eau, où l'anecdote s'annule et où le moindre détail devient signe. Il les retrouve en Hollande et en Beauce comme sur les hauteurs du Verdon, en Provence. Sa peinture, tout comme ses nombreux vitraux, avouent la même haute simplicité et le même silence.

"La non-figuration, écrit le peintre, est la chance actuelle par laquelle le peintre peut le mieux remonter vers sa réalité et reprendre conscience de ce qui est essentiel en lui. Ce n'est qu'à partir de ce point reconquis qu'il pourra par la suite retrouver son poids et revitaliser jusqu'à la réalité extérieure du monde".

Nombreuses rétrospectives (Palais des Beaux-Arts de Bruxelles, 1955 ; Kunsthaus de Zürich, 1959 ; "The Phillips Collection", Washington, D.C., 1964). Vit à Paris.

Bibliographie:

Jean Cayrol, MANESSIER, Le Musée de Poche, Paris, 1955

103.   Alfred Manessier. *Grande Sainte Face.* 1963

PIERRE SOULAGES
Rodez (Aveyron), 1919 —

Né d'un pays sévère de rochers et d'arbres noirs, amoureux d'un art où la pierre pèse et porte, qu'elle soit dolmen ou clocher roman, Pierre Soulages, semble-t-il, en a traduit dans sa peinture les caractères les plus purs.

Il commence à peindre très tôt. A 18 ans, lors d'un bref séjour à Paris, il a la révélation de la peinture moderne à l'occasion d'une exposition Cézanne et d'une exposition Picasso. Il passera deux ans à l'Ecole régionale des Beaux-Arts de Montpellier, puis viendra s'installer dans la région parisienne. De 1946 datent ses premières peintures en noir ou brun sur fond blanc. Sa vie va désormais se dérouler sans histoire, jalonnée par les expositions et marquée par l'approfondissement de son art, qu'honorent en 1964 le prix Carnegie et en 1967 l'exposition du Musée National d'Art Moderne.

"Plus le rythme est fort, écrit-il, et moins l'image, je veux dire la tentative d'association figurative, est possible. Si ma peinture ne rencontre pas l'anecdote figurative, elle le doit, je crois, à l'importance donnée au rythme, à ce battement des formes dans l'espace, à cette découpe de l'espace par le temps". Cet art syncopé de larges bandes horizontales et verticales qui refuse le discours, réalise en effet, pourrait-on dire, la fusion du mouvement et de l'immobilité. Lentement et gravement scandées, l'oeil les embrasse cependant d'un coup. Ainsi réalisent-elles également la fusion de l'instant et de l'éternel, non pas l'instant fugace des Impressionnistes ni celui fulgurant des peintres gestuels, mais l'instant bergsonien d'une intuition capable de saisir la totalité de l'être.

Selon une évolution logique, Soulages ajoutera à l'opacité de ses premières compositions, des transparences colorées qui font que ses tableaux se "comprennent" plus en profondeur qu'ils ne s'appréhendent en surface.

Expositions personnelles en France (Galerie de France) et à l'étranger (Galerie Kootz, New York). Rétrospectives aux Musées de Hanovre (1960), Essen (1961), Boston (1962), Copenhague (1963), Houston (1966), Paris (1967), Montréal (1968). Participe aux grandes manifestations internationales. Prix Carnegie (1964). Vit à Paris.

Bibliographie:

Hubert Juin, SOULAGES, Le Musée de Poche, Paris, 1957

Catalogue de l'exposition, SOULAGES, Musée National d'Art Moderne, 1967

129. Pierre Soulages. *Composition — 19 juin 1963*. 1963

SIMON HANTAI
Bia, Hongrie, 1922 —

Passe son enfance à la campagne. Etudes à l'Ecole
des Beaux-Arts de Budapest de 1941 à 1944. Activité politique de 1943 à 1947. Voyage en Italie
en 1948. A Paris depuis 1949. Travail solitaire.
Rencontre André Breton en 1952. Exposition à
"L'étoile scellée" en 1953, présentée par Breton.
Abandonne ensuite le surréalisme pour des recherches abstraites murales. Expose Galerie Jean
Fournier à Paris. Vit aux environs de Paris.

85.　Simon Hantai. *1967 — Meun, nº 4.* 1967

108.　Jean Messagier. *Géant d'Eté.* 1967

JEAN MESSAGIER
Paris, 1920 —

Ecole Nationale des Arts Décoratifs en 1942.
Depuis 1941, voyages et nombreuses expositions personnelles à Paris, Bruxelles, Genève, Berlin, Münich, Turin, Copenhague,
Tokyo, New York. Participe à d'importantes manifestations internationales (1950,
Guggenheim ; 1960, Musée des Arts Décoratifs, Paris ; 1962, Biennale de Venise, Prix
Marzotto ; 1964, Documenta, Carnegie Institute ; 1965, Biennale de Sao Paulo ; 1966,
Salon des Galeries Pilotes, Lausanne). Vit
à Paris.

PIERRE TAL COAT

Clohars Carnoët (Bretagne), 1905 —

Famille de pêcheurs. Séjours à Paris, de
1924 à 1926 ; puis s'installe à Doélan, près
du Pouldu. Réalise alors des toiles figuratives à tendance expressionniste. A Paris en
1931, il participe au groupe des *Forces
Nouvelles*. Impressionné en 1936, par la
guerre d'Espagne. Se fixe en 1940 à Aix-en-
Provence puis, en 1943, au Château Noir.
Séjours en Bourgogne. Plusieurs expositions
à la Galerie de France après 1943, à la Galerie Maeght depuis 1954. Travail solitaire.
Vit aux environs de Paris.

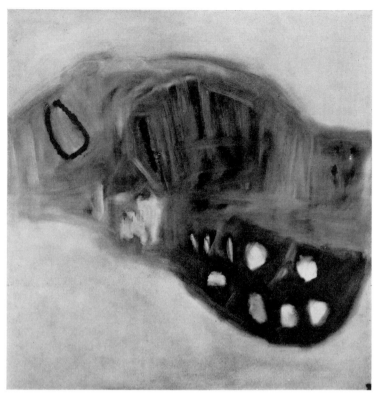

136.   Pierre Tal Coat. *La Brèche.* 1959

140.   Raoul Ubac. *A l'Ombre d'un Champ.* 1966

RAOUL UBAC

Malmédy, Belgique, 1910 —

Se destine d'abord à la carrière des Eaux et
Forêts puis, arrivé à Paris en 1929, s'inscrit
à la Faculté des Lettres. Voyage en Europe.
A partir de 1932, sous l'influence de Max
Ernst et de Man Ray s'adonne à des travaux
de photographie d'expression surréaliste.
Rejoint le groupe vers 1934 et collabore
régulièrement à la revue *Minotaure*. Participe activement à la grande exposition
surréaliste en 1937. A partir de 1943, s'oriente dans une voie différente (Galerie
Redfern à Londres, 1946 ; Galerie Maeght,
à partir de 1950). Travaille l'ardoise. Bois
gravés. Travail solitaire. Vit aux environs
de Paris.

80

SERGE POLIAKOFF
Moscou, 1906 —

Emigre à Paris en 1924, puis à Londres jusqu'en 1937. Rencontre, en 1938, Kandinsky, Freundlich et Delaunay, et évolue vers l'art abstrait. Expose au Salon des Indépendants de 1938 à 1945, puis au Salon de Mai à partir de 1946. Exposition personnelle à la Galerie Denise René en 1947, suivie de plusieurs autres à Paris et dans divers pays (en 1953, au Palais des Beaux-Arts de Bruxelles). Prix Kandinsky en 1948. Toiles acquises par les plus grands Musées d'art moderne. Vit à Paris.

Bibliographie:

Michel Ragon, POLIAKOFF, Le Musée de Poche, Paris

116.   Serge Poliakoff. *Composition Rouge et Orange.* 1960

JEAN-PAUL RIOPELLE

Montréal, 1924 —

Formation académique, puis études de mathématiques à l'Ecole Polytechnique de Montréal. Se consacre à nouveau à la peinture et, en 1945, sous l'influence de l'ouvrage d'André Breton sur le surréalisme et la peinture, évolue vers un style spontané. Se fixe à Paris en 1946, participe à l'Exposition Internationale du Surréalisme, Galerie Maeght, en 1947. Nombreuses expositions individuelles à Paris (Galerie Pierre, 1952 ; Galerie Rive Droite, 1954 ; Galerie Maeght, 1967), et à l'étranger (Galerie Pierre Matisse, The Phillips Collection; Museé du Québec). Seul représentant canadien à la Biennale de Venise en 1962. Prix UNESCO. Vit à Paris.

122.   Jean-Paul Riopelle. *Les Masques.* 1964

69. Horia Damian. *Le Trône.* 1966.

HORIA DAMIAN

Bucarest, 1922 —

Arrive à Paris en 1946. Travaille dans l'atelier de Lhote, puis dans l'atelier de Léger. Aborde l'abstrait en 1949. Rencontre Herbin en 1951. Expositions particulières (Galerie Arnaud et Galerie Stadler). Revient depuis quelques années vers une expression symboliste. Vit à Paris.

POL BURY

Haine-Saint-Pierre, Belgique, 1922 —

Jusqu'en 1945, peintre surréaliste; de 1947 à 1953, peinture abstraite. En 1953, expose ses premiers "plans mobiles". Nombreuses expositions : Bruxelles, Paris, Amsterdam, New York, Milan, Stockholm. Membre et animateur des groupes "Zéro" et "Dynamo". Depuis 1955, édite le "Daily Bül" avec André Balthazar. Auteur du livre *La Boule et le Trou*. Vit en Seine et Oise.

65. Pol Bury. *Flat Iron Building, New York.* 1966

PHILIPPE HOSIASSON

Odessa, Russie, 1898 —

Etudes de droit coupées de fréquents voyages. A
Berlin en 1922. Expose chez Flechtheim et travaille
comme décorateur aux Ballets Romantiques. Se fixe
à Paris en 1924. Il fut l'un des fondateurs du Salon
des Surindépendants où il expose jusqu'en 1939. Sa
peinture traverse différents styles avant d'aboutir,
vers 1947, à la non-figuration. Participe au Salon de
Mai depuis 1948. Expositions Galerie Stadler (1956),
Galerie Flinker (1967). Travail solitaire. Vit à Paris.

ANDRÉ LANSKOY

Moscou, 1902 —

Arrive à Paris en 1921. Remarqué en 1924 par
Wilhem Uhde qui le met en rapport avec Bing.
Thème des personnages dans des intérieurs. Expose
en 1925 à la Galerie Bing et rencontre, en 1928, le
collectionneur R. Dutilleul qui achète pendant quinze
ans sa production. En 1938, premières oeuvres demi-
abstraites. Abandonne totalement la figuration en
1942. Expose chez Louis Carré en 1948, puis en
1952 et 1957. Réalise de nombreuses tapisseries et
des livres illustrés (*Cortège* de Pierre Lecuire ; *La
Genèse* ; *Le journal d'un fou*). Vit à Paris.

91.   Philippe Hosiasson. *Peinture.* 1965

98.   André Lanskoy
Un Instant de Silence. 1967

142.   Bram Van Velde. *Sans Titre.* 1957

BRAM VAN VELDE

Zonderwonde, Hollande, 1895 —

Jeunesse très difficile à Leyde et à La Haye. Peintre en bâtiment, puis décorateur dans une maison d'articles de luxe. En 1922, voyage en Allemagne. Travaux expressionnistes. S'installe, en 1924, à Paris puis, en 1932, aux Baléares. Après une période de découragement, reprend la peinture en 1945, expose à la Galerie Mai. Remarqué par S. Beckett et Georges Duthuit. Plusieurs expositions personnelles à Paris (Galerie Maeght, 1948-1952 ; Galerie M. Warren, 1955-1957 ; Galerie Knoedler, 1961-1962), à New York (Galerie Kootz, 1948 ; Galerie Knoedler, 1962). Rétrospectives aux Musées de Berne (1958), d'Amsterdam (1959) et dans différents musées américains (1965). Ses oeuvres figurent dans les principales collections françaises et étrangères. Vit à Genève et à Paris.

Bibliographie:

Jacques Putnam, BRAM VAN VELDE, Le Musée de Poche, Paris, 1958

EDOUARD PIGNON

Pas-de-Calais, 1905 —

De ce fils de mineur et mineur lui-même à 15 ans, la remontée vers la lumière sera longue. Ce n'est qu'à 30 ans, après avoir pratiqué mille métiers que Pignon trouvera la liberté de peindre. En 1941, il fait partie des "Jeunes Peintres de tradition française". Mais à l'opposé de l'art contemplatif et hautain d'un Bazaine ou d'un Estève, sa vision simple, robuste et dramatique reste naturaliste et humanitaire. Pignon mettra longtemps à se débarasser de l'influence du Cubisme, de celle de Picasso surtout. Encore en 1947 et 48, les variations sur *Ostende* semblent figer son art dans un purisme élégant et glacé proche de Magnelli.

Après 1950 pourtant viennent les *Nus* et les *Oliviers* où l'espace n'est plus le lieu où la forme s'éploie et se repose, mais le champ où s'affrontent des forces innombrables. Désormais, par cette exaltation du dynamisme vital comme par le choix de ses thèmes, l'art de Pignon semble être un avatar moderne du baroque nordique. Art qui, dans ses dernières toiles, n'est pas sans rappeler la peinture dite gestuelle. Ici pourtant, le corps-à-corps de l'artiste avec la toile, loin de se perdre dans la gratuité de l'acte pur, renvoie toujours à cet autre corps-à-corps de l'homme avec les éléments, témoigne de son effort et demeure ainsi obstinément attaché au réel et à la vie. De cette "action painting" dirigée, le peintre s'est expliqué dans son livre *Quête de la réalité*.

Nombreuses expositions personnelles dans des galeries de France et à l'étranger, à Lucerne et Genève (1964), à Charleroi (1965). Rétrospective au Musée National d'Art Moderne de Paris, en 1966. Vit à Paris.

Bibliographie:

Henri Lefebvre, PIGNON, coll. Le Musée de Poche, Paris, 1956

Pignon, LA QUÊTE DE LA RÉALITÉ, Gonthier, Paris, 1966

114. Édouard Pignon. *Les Grands Pousseurs de Blé.* 1962

GÉRARD SCHNEIDER
Sainte-Croix, Suisse, 1896 —

Après des études au collège de Neuchâtel, il vient à Paris en 1916 : Ecole Nationale des Arts Décoratifs puis Ecole des Beaux-Arts. Pour un temps, il est restaurateur de tableaux, métier dont il avoue avoir retiré sa vraie culture artistique. Jusqu'à la guerre, il étudie tous les grands mouvements de l'art contemporain sans se lier à aucun d'eux. Ce n'est qu'en 44 qu'il se lancera entièrement dans l'abstraction, ayant toutefois, dès 1932, connu quelques brèves périodes non-figuratives.

Passionné de Bach, de Beethoven et de Mozart, Schneider représente un tempérament lyrique assez exceptionnel dans la tradition française de la peinture abstraite, aussi loin de la gravité d'un Soulages que du panache d'un Mathieu. Procédant par tracés violents à la brosse large où dominent les noirs, les bleus et les jaunes vifs, sur lesquels un mouchetis de taches apporte un contrepoint nécessaire à l'équilibre, Schneider reste toujours loin de "l'Informel" par son souci d'équilibre chromatique comme par sa maîtrise du geste, lors même qu'il est le plus convulsé. D'une violence retenue ou, pourrait-on dire, soigneusement orchestrée, "sa peinture, écrit Ionesco, est à la fois contradictoirement ordre et chaos, elle va de l'un à l'autre".

Participe au Salon d'Automne et aux Surindépendants ; après 1946, au Salon des Réalités Nouvelles et au Salon de Mai. Nombreuses expositions personnelles à Paris (Galeries Lydia Conti, 1947 ; Galanis, 1955 ; Arnaud, 1967) ; en Europe et en Amérique (Galerie Kootz à New York, en 1956). Présenté par la France à la Biennale de Venise en 1966. Vit à Paris.

124. Gérard Schneider. *Opus 95-E.* 1961

HANS HARTUNG
Leipzig, 1904 —

Vit à Bâle, de 1912 à 1914, puis à Dresde. Commence à peindre très jeune. Fortement impressionné par Rembrandt, Kokoschka, Nolde. Dès 1922, encres et aquarelles informelles. Rencontre Kandinsky en 1925. Quitte l'Allemagne en 1935 pour s'établir en France. En 1939, s'engage dans la Légion étrangère. Est gravement blessé en 1944. Depuis 1948, participe à de nombreuses manifestations d'art abstrait à Paris et à l'étranger. De nombreux musées ont organisé des expositions personnelles de Hartung : la Kunsthalle de Bâle, le Palais des Beaux-Arts de Bruxelles, le Musée d'Antibes, le Stedelijk Museum d'Amsterdam, le Museo Civico à Turin, etc. 1960, Grand Prix de la Biennale de Venise. Est aujourd'hui l'une des figures les plus importantes de l'art abstrait. Vit à Paris.

Bibliographie:

Umbro Apollonio, HANS HARTUNG, O.D.E.G.E., Paris, 1966

86. Hans Hartung. *T. 1935 - 1.* 1935

67. Serge Charchoune. *Chopin — Sylphides Variations IV*. 1964

60. Hans Bischoffshausen. *Espace-Antiespace*. 1965

SERGE CHARCHOUNE
Bougourouslan, Russie, 1888 —

Refusé à l'Ecole des Beaux-Arts de Kazan, après quoi il travaille pendant plusieurs mois dans les Académies de Moscou. Arrive à Paris en 1912. Expose pour la première fois au Salon des Indépendants, en 1913. Séjour prolongé en Espagne (1914-1917). Entre 1921 et 1924, collabore à plusieurs revues dadaïstes. Expose à la Galerie *Der Sturm* à Berlin, en 1922. Plusieurs expositions particulières Galerie Creuze et Galerie Bongers, à Paris. Oeuvre abstraite inspirée par la musique. Travail solitaire. Vit à Paris.

HANS BISCHOFFSHAUSEN
Autriche, 1927 —

Etudes d'architecture. Commence à peindre en 1949. Dès 1956, recherches sur une "peinture de structures". Arrive à Paris en 1959. Participe à de nombreuses expositions en France et à l'étranger. Vit à Paris.

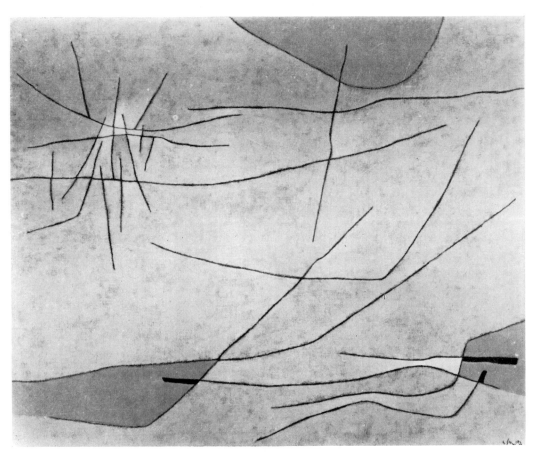

127.   Gustave Singier. *Provence Estuaire, Soleil et Sable.* 1959

GUSTAVE SINGIER

Warneton, Belgique, 1909 —

D'origine belge, il vient en France en 1919 et peindra d'abord d'après nature. Suit pendant trois ans les cours de l'Ecole Boulle jusqu'à la rencontre de Charles Walch en 1936, qui l'encourage, le met sur la voie de la peinture pure. Il participe désormais aux grandes expositions : Indépendants, Salon d'Automne (1937), Salon de Mai (à partir de 1943) et bien d'autres.

Voisine de celles des "Jeunes Peintres de tradition française" par une inspiration qui est naturaliste et surtout sensible à la lumière, l'oeuvre de Singier reste d'apparence plus légère et volontiers décorative. Un graphisme incisif et aérien, des tons transparents ou stridents que dominent les accords de bleu, traduisent la préciosité et la discrète ironie d'un art qui excelle dans deux directions opposées : d'une part le décor monumental, le vitrail et la tapisserie, de l'autre l'aquarelle et la petite toile.

Participe aux grandes manifestations internationales (Biennale de Venise, 1954 ; Carnegie Institute, 1955-1956 ; Documenta, Cassel, 1955). A présenté plusieurs expositions personnelles Galerie de France et à l'étranger (Musées d'Allemagne, en 1957). Activité de décorateur de théâtre, de graveur et de peintre cartonnier de tapisseries. Vit à Paris.

Bibliographie:

Camille Bourniquel, TROIS PEINTRES (LE MOAL, MANESSIER, SINGIER), Paris, 1946

WOLS (Otto Alfred Schulze)
Berlin, 1913 — Paris, 1951

Débute comme violoniste. Après un passage au
Bauhaus de Dessau, où il suit les cours de Mies van
der Rohe, se rend à Paris (1932) et rencontre Miró,
Ernst, Tzara et Calder. En Espagne en 1933, il fait
des photographies pour gagner sa vie. Expose ses
photographies et est nommé, en 1937, photographe
officiel à l'Exposition Universelle. Après la guerre,
pendant laquelle il a été interné un an durant comme
citoyen allemand, se lie avec Henri Pierre Roché,
Sartre et Simone de Beauvoir. Est alors un des créateurs de l'art informel. Exposition particulière chez
René Drouin, en 1947. Participe ensuite à de nombreuses manifestations internationales.

150. Wols (Otto Alfred Schulze). *Manhattan*. 1947

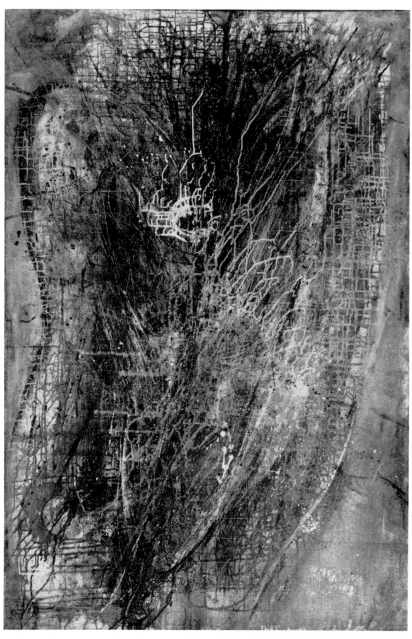

ZAO WOU KI
Pékin, 1921 —

Entre à quinze ans à l'Ecole Nationale des Beaux-Arts de Hanchow. Professeur à la même école, de 1941 à 1947. En 1948, il quitte la Chine pour venir à Paris où il se fixe, tout en voyageant en Italie, Belgique, Pays-Bas, Angleterre, Espagne, Allemagne. Participe au Salon de Mai depuis 1950. Plusieurs expositions particulières à Paris (Galerie Pierre, Galerie de France). A participé à de nombreuses manifestations à l'étranger. Oeuvre de graveur. Représenté dans d'importants musées d'art moderne internationaux. Vit à Paris.

151. Zao Wou Ki. *Hommage à Edgar Varèse.* 1964

70. Jean Degottex. *Trouée Noire.* 1967

JEAN DEGOTTEX
Sathonay (Ain), 1918 —

Autodidacte. A Paris en 1933. Premières peintures d'inspiration fauve, pendant un séjour en Tunisie (1938-1941). Premières toiles non figuratives exposées à la Galerie D. René, en 1949. Participe au Salon de Mai. Expositions particulières à Paris (Galerie Kléber, Galerie L'Etoile scellée, 1955; Galerie Rive Droite, Galerie J. Fournier) et à l'étranger. Vit à Paris.

GEORGES MATHIEU
Boulogne-sur-Mer, 1921 —

Etudes de droit et de philosophie. Licence d'anglais. Commence à peindre en 1942 et se fixe à Paris en 1947. Expose au Salon des Réalités Nouvelles et au Salon des Surindépendants. Expose à la Galerie Drouin en 1950 et à la Galerie Kootz de New York en 1954. Nombreuses expositions à travers le monde (Paris, Musée Municipal d'Art Moderne, 1963 ; Kunstverein de Cologne, 1967). Représenté dans trente-huit musées des deux mondes. A développé ses théories dans de nombreux écrits (*Analogie de la non-figuration,* 1952 ; *D'Aristote à l'abstraction lyrique,* 1959 ; *Au delà du tachisme,* 1963). Vit à Paris.

106. Georges Mathieu. *Hommage aux Frères Boisserée.* 1967

111.   Henri Michaux. *Peinture à l'Encre de Chine*. 1963

HENRI MICHAUX
Namur, Belgique, 1899 —

Etudes inachevées de médecine puis navigation comme matelot (1919-1920). Choc en 1921 à la lecture de Lautréamont. Arrive à Paris en 1922. Publie en 1927 son premier livre important, *Qui je fus*. Sera désormais surtout connu comme écrivain, mais commence dès lors son oeuvre de plasticien avec "taches" et "alphabets", recherches de "signes". En 1937, première exposition personnelle Librairie Galerie de la Pléiade : 1939 : Publie un recueil de poèmes et peintures parallèles. Publie en 1946, *Peintures et dessins* et expose ses lavis en 1948, Galerie R. Drouin. En 1954 expose ses premières "peintures à l'encre" dans la même Galerie. 1956-1960 : "dessins à la mescaline". Expositions personnelles, Galerie Daniel Cordier, Galerie Le Point Cardinal. Rétrospectives au Palais des Beaux-Arts de Bruxelles (1957), au Stedelijk Museum d'Amsterdam (1964) au Musée national d'art moderne (1965). Prix Einaudi à la Biennale de Venise (1960). Vit à Paris.

KAREL APPEL
Amsterdam, Hollande, 1921 —

Etudes, de 1940 à 1943 à l'Académie royale d'Amsterdam. En 1946, première exposition individuelle à Groningue. Il est, en 1948, l'un des fondateurs du groupe expérimental "Reflex" en Hollande, puis du groupe international "Cobra". S'installe, en 1950, à Paris. Nombreuses expositions personnelles à Bruxelles (Palais des Beaux Arts, 1953, 1958), Amsterdam (Stedelijk Museum, 1956), aux U.S.A. (1961-1962).

Prix de l'UNESCO à la Biennale de Venise (1964), prix de la Biennale de Ljubliana (1959) et de la Biennale de Sao Paulo (1959). Prix Guggenheim (1960).

A réalisé de nombreuses décorations monumentales en Hollande et au siège de l'UNESCO à Paris, (1958). Vit dans le Morvan.

48. Karel Appel. *L'Enfant au Cerceau.* 1961

96

ASGER JORN
Vejrun, Danemark, 1914 —

En 1936, il part pour Paris, étudie à l'atelier de Léger et collabore avec Le Corbusier au pavillon "Temps nouveaux" de l'Exposition universelle de 1937. Co-fondateur du groupe international *Cobra*. Prend part à la première exposition d'art expérimental à Amsterdam, en 1949. A longtemps séjourné en Italie. S'est également intéressé à la gravure, la sculpture, la céramique. Vit à Paris et au Danemark.

93. Asger Jorn. *Une Mine de Rien (Ou Presque)*. 1967

104. André Marfaing. *Juillet 67/21*. 1967

ANDRÉ MARFAING
Toulouse, 1925 —

Expositions personnelles à Paris (Galerie Claude Bernard, Galerie Ariel) et à l'étranger (Milan, 1961 ; Copenhague, 1963). Participe à d'importantes manifestations internationales (1959, Documenta ; 1959, Prix Lissone ; 1961, Carnegie Institute ; 1962, Biennale de Venise ; 1966, Salon des Galeries Pilotes à Lausanne). Vit à Paris.

PIERRE ALECHINSKY
Bruxelles, 1927 —

Etudes à Bruxelles. 1948, premier séjour à Paris. 1949-1951, promoteur à Bruxelles du mouvement et de la revue "Cobra". A Paris en 1951. Travaille avec S.W. Hayter, à l' "Atelier 17". Expositions particulières à Amsterdam, Paris, Bruxelles (Palais des Beaux-Arts, 1954). Voyage au Japon en 1955. Expose à Londres (Institute of Contemporary Arts, 1958). 1960, premier prix Hallmark (New York - Venise). Expose à Amsterdam (Stedelijk Museum, 1961), Eindhoven (1963), Chicago (The Arts Club of Chicago, 1965), New York (The Jewish Museum, 1965), Münich (Galerie van de Loo, 1967). Vit à Bougival (Hauts de Seine).

Bibliographie:

Jacques Putman, ALECHINSKY, Fratelli Fabbri, Milan 1967.

47. Pierre Alechinsky. *Le Mal Indéfini.* 1965-1967

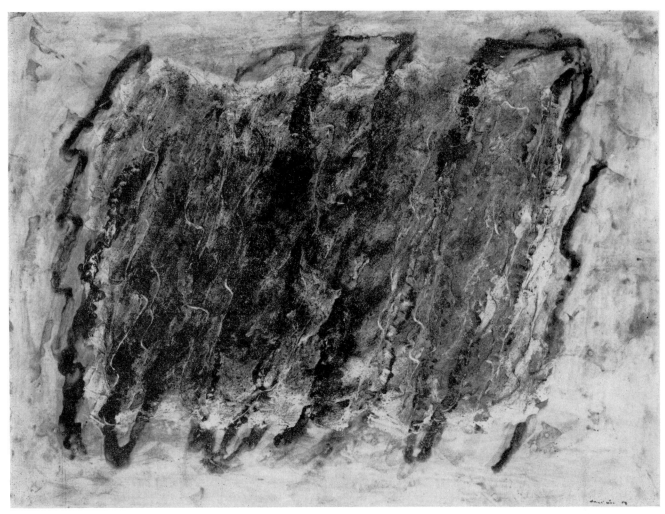

80. Jean Fautrier. *Les Grands Végétaux.* 1960-1961

JEAN FAUTRIER
Paris, 1898 — Châtenay-Malabry, 1964

Enfant prodige, il est admis à quatorze ans à la Royal Academy de Londres. Paul Guillaume s'intéresse à lui à partir de 1925 et pendant quelques années. Peint alors des figures allusives vaguement éclairées. En 1943, nouveau style non figuratif. Expose, en 1945, *Les Otages,* Galerie Drouin (préface par André Malraux). Amitié avec Jean Paulhan et Francis Ponge. Travail solitaire. Importante donation aux Musées de la Ville de Paris.

Bibliographie:

Jean Paulhan, FAUTRIER L'ENRAGE, Gallimard, Paris, 1962

JEAN DUBUFFET
Le Havre, 1901 —

Arrive à Paris en 1918 et suit les cours de l'Académie Julian. Rencontre Max Jacob et Ch. A. Cingria (1919). Abandonne la peinture et fonde, en 1930, un négoce de vins en gros. Revient à la peinture en 1933, tout en conservant plus ou moins ses affaires. Expositions en 1944, chez R. Drouin. 1947, séjour à El Goléa. Fonde la *Compagnie de l'Art Brut*. Portraits. 1949, troisième voyage au Sahara, "paysages grotesques". Publie "L'Art brut préféré aux Arts culturels". 1950, "Corps de Dames". 1951, "Sols et terrains : paysages mentaux". 1953, "Pâtes battues" et premiers "Petits tableaux d'Ailes de papillons", début des "Assemblages d'empreintes" (1955-1956-1957). 1958, "Texturologies".

Rétrospective importante au Musée des Arts Décoratifs à Paris (1960) et exposition d' "Assemblages d'empreintes" au Kunsthaus de Zürich (1960). Exposition de l'oeuvre graphique au Musée de Silkeborg (1961) et Rétrospectives au Museum of Modern Art de New York (1962), à la Tate Gallery, au Stedelijk Museum d'Amsterdam et au Musée Guggenheim de New York (1966).

Cycle de l' "Hourloupe" et panneaux en polystyrène expansé. En 1967, importante donation au Musée des Arts Décoratifs de Paris. Vit à Paris.

Bibliographie:

Peter Selz, DUBUFFET, Museum of Modern Art, New York, 1962

Georges Limbour, TABLEAU BON LEVAIN A VOUS DE CUIRE LA PATE. L'ART BRUT DE JEAN DUBUFFET, Paris, 1953

73. Jean Dubuffet. *Paysage Vineux.* 1944

75.   Jean Dubuffet. *Château l'Hourloupe.* 1963

HUNDERTWASSER

Vienne, 1928 —

Fréquente l'Académie des Beaux-Arts de Vienne, puis travaille à Paris. Expose en 1952 à Vienne. Paul Facchetti organise sa première grande exposition à Paris, en 1954. Ecrit différents "essais". Reçoit un prix à la Vème Biennale de Sao Paulo en 1959 ; à Tokyo, à la VIème International Art Exhibition, en 1961. En 1962, importante rétrospective à la Biennale de Venise. Participe aux grandes manifestations internationales (Documenta, Salon des Galeries Pilotes, Lausanne). Exposition à la Galerie K. Flinker à Paris, en 1967. Vit en Normandie.

92. Hundertwasser. *La Barbe Gazon de l'Homme Démunie.* 1961

BERNARD REQUICHOT

Asnières (Sarthe), 1929 — Paris, 1961

De 1945 à 1948, fréquente plusieurs ateliers parisiens et passe le concours des Beaux-Arts. Figure, en 1960, dans l'exposition *Antagonismes* au Musée des Arts Décoratifs. Rétrospective en 1963 au Festival de Montauban et, en 1964, chez Daniel Cordier à Paris. Présenté dans l'exposition *Painting and Sculpture of a Decade* à la Tate Gallery, en 1964.

121. Bernard Requichot. *Le Déchet des Continents.* 1961

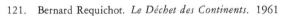

YVES KLEIN

Nice, 1928 — Paris, 1962

"Ceinture noire", quatrième Dan de judo de Tokyo, chevalier de l'Ordre de Saint Sébastien, il a en quinze ans fait deux fois le tour du monde, exposé une trentaine de fois, parlé à la Sorbonne (1959), bâti une théorie de l'architecture de l'air, dont il a réalisé les maquettes expérimentales (1958), réalisé un décor monumental pour le nouvel opéra de Gelsenkirchen dans la Ruhr (1957-1959), tourné plusieurs films, rédigé des centaines de notes de travail, publié un essai théorique sur le "Dépassement de la Problématique de l'Art" (1959). Il a fondé les mouvements "Monochrome", "l'Immatériel", et, en collaboration avec Pierre Restany "Le Nouveau Réalisme dans l'Art Actuel". Rétrospectives en 1962 à Tokyo, au Stedelijk Museum d'Amsterdam en 1965, au Palais des Beaux-Arts de Bruxelles en 1966, au Jewish Museum de New-York en 1967.

95.   Yves Klein. *La Grande Bataille.* 1960

103

HUGO DEMARCO
Buenos Aires, 1932 —

Professorat de dessin, peinture et gravure à Buenos Aires. Premier séjour à Paris en 1959. Boursier du Gouvernement français en 1962. Exposition personnelle chez D. René en 1961. Participe à plusieurs expositions internationales (Lausanne, Eindhoven, Paris). Vit à Paris.

VICTOR VASARELY
Pecs, Hongrie, 1908 —

Inscrit à la Faculté de Médecine de Budapest. Entre en 1929 au Bauhaus de Budapest, *le "Mühely" de Bortnyik*. Il y suit les conférences de Moholy-Nagy, et fait connaissance des oeuvres de Malevitch, Mondrian, Gropius, Kandinsky, Le Corbusier. Se fixe à Paris en 1930. Fait partie du groupe de Denise René depuis sa fondation, en 1944. Très nombreuses expositions personnelles. Participe aux plus importantes manifestations internationales. Prix Carnegie 1967. Représenté dans les collections des plus grands musées d'art moderne. Activité de cartonnier de tapisseries, réalisations monumentales, oeuvre de graveur. Nombreux écrits théoriques. Vit aux environs de Paris.

71.   Hugo Demarco. *Colonne Instable.* 1967

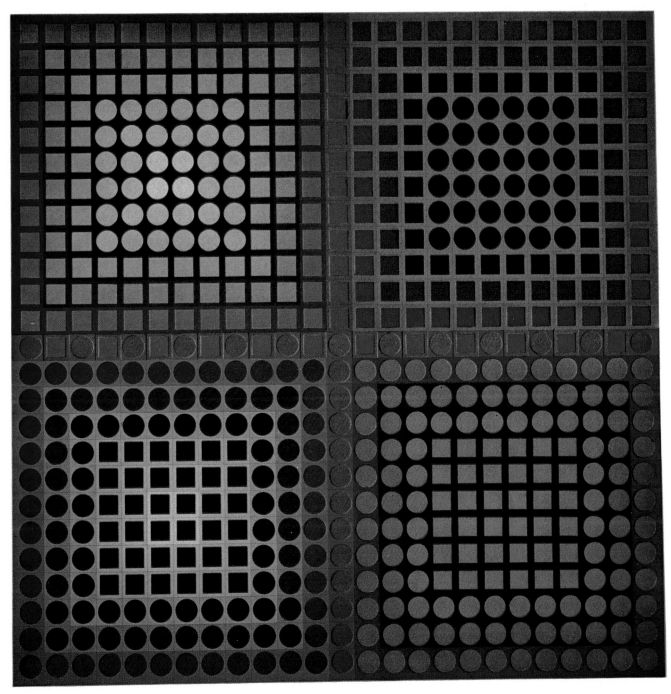

144.   Victor Vasarely. *EG - 1 - 2.* 1965-1967

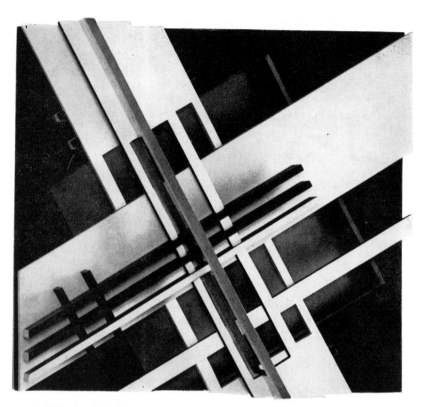

JEAN GORIN
Saint-Emilien Blain, 1899 —

Fréquente l'Académie de la Grande Chaumière à Paris, puis l'Ecole des Beaux-Arts de Nantes. Se fixe, en 1923, à Nord-sur-Erdre. Influence de Matisse, de Gleizes, du purisme d'Ozenfant. Aborde le néo-plasticisme dès 1926. Premiers contacts avec Mondrian en 1927. Participe à l'exposition *Cercle et Carré,* en 1930. Expose au Salon des Réalités Nouvelles depuis sa fondation. Rétrospectives au Musée des Beaux-Arts de Nantes (1966) et au Stedelijk Museum d'Amsterdam (1967). Vit aux environs de Paris.

84.   Jean Gorin. *Conquête de l'Espace n° I.* 1946

139.   Luigi Tomasello. *Atmosphère chromo plastique — N. 180.* 1967

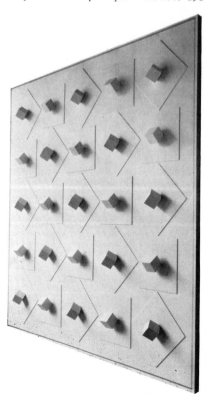

LUIGI TOMASELLO
La Plata, Argentine, 1915 —

Etudes à l'Ecole Nationale des Beaux-Arts et à l'Ecole Supérieure de Peinture de Buenos Aires. En 1951, premier voyage d'étude en Europe. Arrive à Paris en 1957. Expositions personnelles à Paris (Galerie D. René, 1962, 1966) et à l'étranger (Musée des Beaux-Arts de Buenos Aires, 1962). Participe à d'importantes manifestations internationales (*Exposition internationale du mouvement,* Amsterdam, Stockholm, Louisiana, 1961; *Nouvelle Tendance,* Musée des Arts Décoratifs, Paris 1964; *The Responsive Eye,* New York 1965; *Lumière et Mouvement,* Paris 1967). Vit à Paris.

JESUS RAFAEL SOTO
Ciudad Bolivar, Venezuela, 1923 —

De 1942 à 1946, études à l'Ecole des Beaux-Arts de Caracas. De 1947
à 1950, Directeur de l'Ecole des Beaux-Arts de Maracaïbo (Venezuela).
Arrive à Paris en 1950. Très nombreuses expositions personnelles à
Paris (Galeries D. René, 1967, et E. Loeb), et à l'étranger (Musée des
Beaux-Arts de Caracas, 1961 ; Musée de Krefeld, 1963 ; Galerie Kootz,
New York 1965-1966). Participe à d'importantes expositions collectives et réalise des oeuvres monumentales aux Expositions Universelles
de Bruxelles (1958) et Montréal (1967). Mur panoramique vibrant
à la Biennale de Venise, 1966. Vit à Paris.

128.   Jesus Rafael Soto. *Volume Suspendu.* 1967

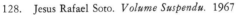

YAACOV AGAM

Israël, 1928 —

Etudes à l'Ecole d'Art Bezalel à Jérusalem, puis à l'atelier d'art abstrait
à Paris (1951). Voyages. Exposition particulière Galerie Craven, en
1953 puis, chez D. René (1955). Créateur de peintures transformables,
polyphoniques et peintures tactiles. Auteur d'une conception musicale
"Trans-formes musicales" (1953-1962). Publication d'un livre aux
Editions du Griffon (Lausanne, 1962). Participe aux grandes manifestations internationales. Représenté dans de nombreux musées d'art
contemporain. Vit à Paris.

45.   Yaacov Agam. *Transparence de Rythmes — II.* 1967

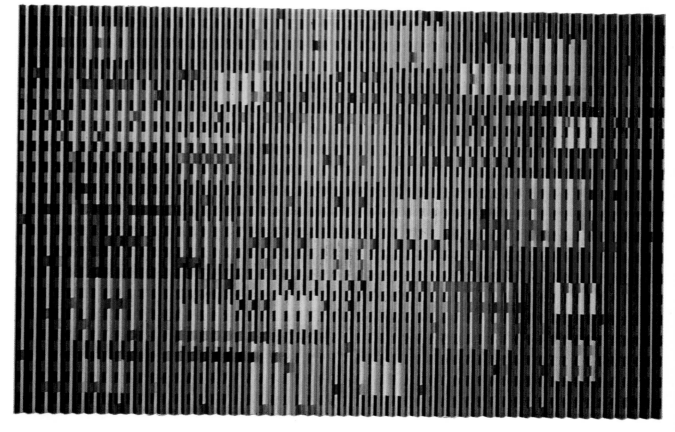

100. Julio Le Parc. *Continuel Mobile.* 1964

JULIO LE PARC

Mendoza, Argentine, 1928 —

Diplôme de professeur de dessin et de peinture, Buenos Aires. S'installe à Paris en 1958. Co-fondateur, en 1960, du Groupe de Recherche d'Art Visuel. Recherches sur la lumière, le mouvement, l'instabilité, les contingences extérieures à l'oeuvre, et la participation du spectateur. Nombreuses expositions en Europe (Galerie D. René; *Nouvelle Tendance,* Musée des Arts Décoratifs; *Lumière et mouvement,* Musée Municipal d'Art Moderne, Paris), et en Amérique. Grand Prix de peinture à la Biennale de Venise en 1966. Vit à Paris.

49. Arman. *"Every Move has Consequences".* 1967

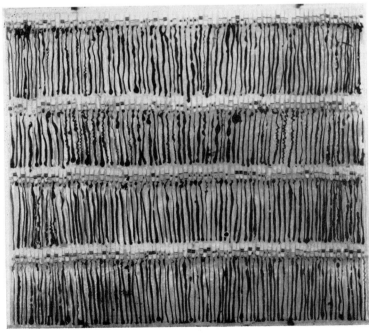

ARMAN

Nice, 1929 —

Etudes à Nice et à l'Ecole du Louvre. Expositions personnelles à Paris (Galerie Iris Clert, 1960; Galerie Ileana Sonnabend, 1967), Milan (Galerie Schwarz, 1961), New York (Galerie Cordier et Warren, 1961; Galerie Sydney Janis, 1966), Los Angeles (Galerie Dwan, 1962). Nombreuses expositions collectives à Paris, Rome, Stockholm, Dusseldorf, Tokyo, et New York. Vit à Nice.

MARTIAL RAYSSE
Golfe-Juan, 1936 —

Entreprend en 1959 ses premières recherches à partir d'objets en matière plastique. Expose en 1960 avec le groupe des Nouveaux Réalistes au Festival d'Avant-Garde de Paris. Participe en 1961 à la Biennale de Paris avec un étalage : "Hygiène de la vision" ainsi qu'à l'exposition "Art of Assemblage" au Museum of Modern Art de New-York. Présente "Raysse Beach" à l'exposition "Dylaby" au Stedelijk Museum d'Amsterdam en 1962. Participe depuis à de nombreuses expositions collectives internationales. Rétrospective au Stedelijk Museum d'Amsterdam (1965) et au Palais des Beaux-Arts de Bruxelles (1967). Décors et costumes pour "l'Eloge de la Folie" (1965) et "Paradise Lost" (1967), ballets de Roland Petit. Vit et travaille à Nice, New-York et Los Angeles.

119.   Martial Raysse. *Mysteriously Yours.* 1964

94.   Peter Klasen. *Ce Que Veut Femme.* 1966

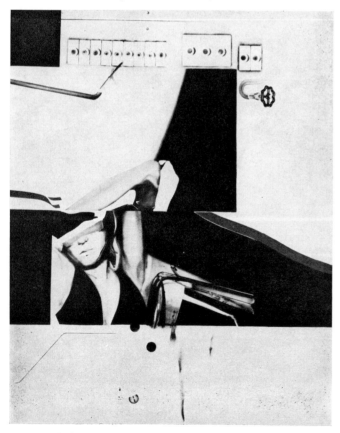

PETER KLASEN
Lübeck, Allemagne, 1935 —

De 1956 à 1959, études à l'Académie des Beaux-Arts de Berlin. Arrive à Paris en 1959. Expositions personnelles à Münich (1964) et Paris (1966). Participe à d'importantes manifestations internationales (*Mythologies quotidiennes,* Paris, 1964 ; *La figuration narrative,* Paris, 1967). Vit à Paris.

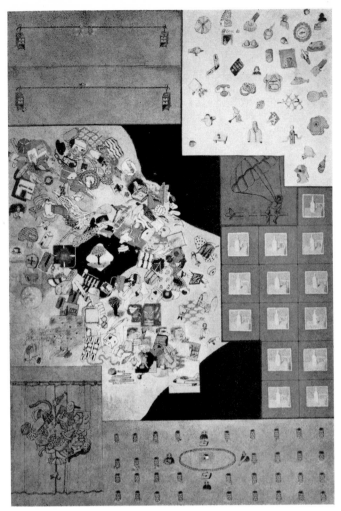

RENÉ BERTHOLO
Alhandra, Portugal, 1935 —

Etudes artistiques à l'Ecole des Beaux-Arts de Lisbonne. Après un séjour à Münich, en 1957, s'installe définitivement à Paris et, en 1958, avec Lourdes Castro, Voss, Christo, Vieira, Pinheiro Lonçalo et Escada, fonde la revue K.W.Y. Boursier de la Fondation Gulbenkian en 1959-1960. Publie la même année les sérigraphies "Livre libre" et, en 1964, "Il faut ce qu'il faut", avec des textes d'André Balthazar. Participe à la Biennale de Paris. Vit à Paris.

BERNARD RANCILLAC
Paris, 1931 —

Prépare sans conviction le professorat de dessin de 1950 à 1953. En 1956, première exposition, Galerie "Le Soleil dans la tête". De 1959 à 1962, apprend la gravure chez Hayter. Salon des Réalités Nouvelles de 1959 à 1962. Participe à la Biennale de Paris (Prix de peinture, 1961) et à d'importantes expositions de groupe (*Mythologies quotidiennes,* Paris, Musée municipal d'Art Moderne, 1964 ; *Bande dessinée et figuration narrative,* Paris, Musée des Arts décoratifs, 1967). Expositions personnelles (1967, Galerie Blumenthal-Mommaton). Vit à Paris.

58.   René Bertholo. *Pièces à Conviction et Autres.* 1965

117.   Bernard Rancillac.
La Parole n° 1 — Assemblée Générale. 1967

138. Hervé Télémaque. *Le Poète Rève Sa Mort* — n° 2. 1966

HERVÉ TÉLÉMAQUE

Port au Prince, Haïti, 1937 —

Participe à de nombreuses expositions collectives (*Mythologies quotidiennes,* Paris, Musée municipal d'Art moderne : *Bande dessinée et figuration narrative,* Musée des Arts décoratifs, Paris 1967). Vit à Paris.

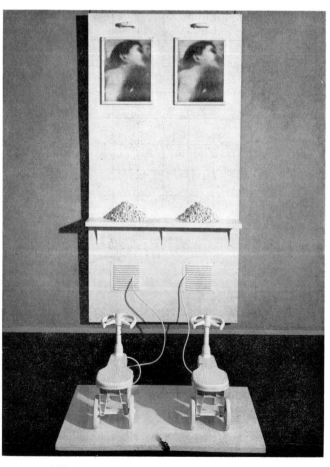

JEAN PIERRE RAYNAUD

Colombes, 1939 —

Participe depuis 1964 à différents salons parisiens. Exposition personnelle chez J. Larcade à Paris, en 1965-1966. Présenté par la France à la Biennale de Sao Paulo (1967).

118. Jean Pierre Raynaud. *Psycho-Objet 27 A.* 1966

Catalogue

CATALOGUE DE L'EXPOSITION

Section 1

JEAN ARP

1. Ombre de Fruit

    1930
    Huile sur toile, 27½" x 23⅛" (cm. 69 x 58)
    Signé et daté sur une étiquette au dos: Meudon 1930
    Succession Jean Arp

    Bibliographie:
    G. Marchiori, *Jean Arp*, Editiones Alfieri, Milan, 1963 (Rep. p. 62 d'une tapisserie exécutée d'après ce tableau.)

PIERRE BONNARD

2. Portrait des Frères Bernheim de Villers

    1920
    Huile sur toile, 66" x 62" (m. 1.65 x 1.55)
    Signé en bas à droite et daté: Bonnard 1920
    Collection Musée Naional d'Art Moderne, Paris.
    Don de M. et Mme. de Villers, 1951

    Bibliographie:
    G. Besson: *Bonnard,* Braun, Paris, 1935
    Bernard Dorival: *L'Ecole de Paris au Musée d'Art Moderne,* Abrams, New York, 1962 (Rep. p. 265)

3. Coin de Salle à Manger au Cannet

    v. 1932
    Huile sur toile, 32⅜" x 36" (cm. 81 x 90)
    Collection Musée National d'Art Moderne, Paris.
    Achat de l'Etat 1933

    Bibliographie:
    Bernard Dorival: *L'Ecole de Paris au Musée d'Art Moderne,* Abrams, New York, 1962 (Rep. p. 273)

4. Nu dans la Baignoire

    1935
    Huile sur toile, 37¼" x 58⅛" (m. .93 x 1.47)
    Signé en bas à gauche: Bonnard
    Collection Petit Palais, Paris. Achat à l'artiste, 1937.

    Bibliographie:
    Bernard Dorival: *Les Peintres du XXe Siècle,* Tisné, Paris, 1957 (Rep. couleurs p. 24)
    F. Russoli: *Pierre Bonnard,* La Galerie des Arts, Paris, avril, 1965, No. 24 (Rep. couleurs p. 25)

GEORGES BRAQUE

5. Le Duo

    1937
    Huile sur toile, 51⅜" x 63⅜" (m. 1.30 x 1.60)
    Signé en bas à gauche et daté: G. Braque 37
    Collection Musée National d'Art Moderne, Paris.
    Achat de l'Etat, 1939

    Bibliographie:
    A. Lejand: *Braque,* Hazan, Paris, 1949 (Rep. No. 11)
    Bernard Dorival: *L'Ecole de Paris au Musée d'Art Moderne,* Abrams, New York, 1962 (Rep. p. 140)

6. La Sarcleuse

    1961-1963
    Huile sur toile, 48" x 69¾" (m. 1.20 x 1.76)
    Signé en bas et à gauche: G. Braque
    Collection Musée National d'Art Moderne, Paris.
    Donation de Mme Braque, 1965.

MARC CHAGALL

7. Double Portrait au Verre de Vin

    1917
    Huile sur toile, 7'8" x 4'6" (m. 2.33 x 1.36)
    Signé en bas à droite et daté: Marc Chagall, 1917
    Collection Musée National d'Art Moderne, Paris.
    Don de l'artiste, 1947, à la suite de L'Exposition Chagall, Paris.

    Bibliographie:
    De Picasso au Surréalisme, œuvr. coll., Skira, Genève, 1950 (Pl. couleurs p. 170)
    Lionello Venturi: Op. Cit. (Pl. couleurs p. 51)
    Bernard Dorival: *L'Ecole de Paris au Musée d'Art Moderne,* Abrams, New York, 1962 (Rep. p. 210)
    F. Meyer: Op. Cit. (Rep. p. 275)
    Jean Cassou: *Chagall,* Londres, 1965 (Pl. couleurs No. 51)

ROBERT DELAUNAY

8. Formes Circulaires

    1912-1913
    Peinture à colle sur toile, 39⅜" x 27¼" (m. 1.00 x .68)
    Signé et daté en bas à gauche: R. Delaunay, 1912-1913
    Collection Musée National d'Art Moderne, Paris.
    Don de la Société des Amis du Musée d'Art Moderne, 1961

9. Panneaux de l'entrée du Hall des Réseaux
1937
Peinture et relief de bois peint sur panneau, 26'3" x 13'1½" (m. 8.00 x 4.00)
Collection Musée National d'Art Moderne, Paris.
Donation Delaunay, 1964

Bibliographie:
Habasque, *Les Reliefs de R. Delaunay,* XXème Siècle, Paris, 1961, p. 18

SONIA DELAUNAY
10. Prismes Electriques
1914
Huile sur toile, 8'3" x 8'3" (m. 2.50 x 2.50)
Titré, signé et daté en bas à gauche: Prismes Electriques, Sonia Delaunay, 1914
Collection Musée National d'Art Moderne, Paris.
Achat de l'Etat à l'artiste, 1958
Exposition: 1914 - Paris, Salon des Indépendants, (hors catalogue)

Bibliographie:
Bernard Dorival: *L'Ecole de Paris au Musée d'Art Moderne,* Abrams, New York, 1962 (Rep. p. 182)

ANDRÉ DERAIN
11. Vue de Collioure
1905
Huile sur toile, 24" x 29⅛" (cm. 60 x 73)
Signé en bas et à gauche: A. Derain
Collection Musée National d'Art Moderne, Paris.
Achat de l'Etat, 1966, 3ème Vente André Lefèvre.

Bibliographie:
Bernard Dorival, *Un Chef-d'Oeuvre Fauve de Derain entre au Musée National d'Art Moderne,* La Revue du Louvre et des Musées de France, Paris

RAOUL DUFY
12. L'Atelier de l'Impasse Guelma
1935-1952
Huile sur toile, 35⅝" x 46⅛" (m. .89 x 1.17)
Signé en bas: Raoul Dufy
Collection Musée National d'Art Moderne, Paris.
Don de Mme Dufy, 1962

MAX ERNST
13. Fleurs de Coquillages
1929
Huile sur toile, 51" x 51" (m. 1.29 x 1.29)
Signé en bas à droite et daté: Max Ernst 29
Collection Musée National d'Art Moderne, Paris.

14. Mère et Enfant dans un Jardin Ensoleillé
1953-1954
Huile sur toile, 63¾" x 51⅜" (m. 1.61 x 1.30)
Collection particulière

JUAN GRIS
15. Nature Morte sur une Chaise
1917
Huile sur panneau de bois, 39⅜" x 29¼" (m. 1.00 x .73)
Daté au dos: Avril, 1917
Collection Musée National d'Art Moderne, Paris.
Galerie Rosenberg — Collection Raoul la Roche — Don de Raoul la Roche, 1952

Bibliographie:
Bernard Dorival: *L'Ecole de Paris au Musée d'Art Moderne,* Abrams, New York, 1962 (Rep. p. 154)

AUGUSTE HERBIN
16. Air, Feu
1944
Huile sur toile, 24" x 36¾" (cm. 60 x 92)
Signé et daté en bas à droite: Herbin 1944; *en bas à gauche:* Air, feu
Collection Musée National d'Art Moderne, Paris.
Achat de l'Etat, 1947

Bibliographie:
Bernard Dorival: *L'Ecole de Paris au Musée d'Art Moderne,* Abrams, New York, 1962 (Rep. p. 279)

17. Génération
1959
Huile sur toile, 57⅝" x 44⅞" (m. 1.46 x 1.14)
Collection particulière

VASSILI KANDINSKY
18. Composition IX
1936
Huile sur toile, 44⅞" x 77⅜" (m. 1.14 x 1.95)
Monogrammé en bas à gauche et daté: VK/36
Au dos: VK/n° 626/1936
Collection Musée National d'Art Moderne, Paris.
Achat de l'Etat, 1937

Bibliographie:
Bernard Dorival: *L'Ecole de Paris au Musée d'Art Moderne,* Abrams, New York, 1962 (Rep. p. 275)

FRANÇOIS KUPKA
19. Bouillonnement Violet
1920
Huile sur toile, 31½" x 28¾" (cm. 79 x 72)
Signé en bas à droite: Kupka
Collection Musée National d'Art Moderne, Paris.
Achat des Musées Nationaux à la femme de l'artiste, 1957

ROGER DE LA FRESNAYE
20. L'Homme Assis
1913-1914
Huile sur toile, 51⅜" x 64⅛" (m. 1.30 x 1.62)
Collection Musée National d'Art Moderne, Paris.
Achat à la Collection Paul Petit, 1957

Bibliographie:
Jean Cassou: *L'Homme Assis,* La Revue des Arts, Paris, mai-juin, 1957, No. 3
Bernard Dorival: *L'Ecole de Paris au Musée d'Art Moderne,* Abrams, New York, 1962 (Rep. p. 165)

FERNAND LÉGER

21. Elément Mécanique

1924
Huile sur toile, 57⅝" x 28¾" (m. 1.46 x .97)
Signé en bas à droite et daté: F. Léger 24
Au dos: Elément mécanique. Définitif. F. Léger
Collection Musée National d'Art Moderne, Paris.
Collection Baronne Gourgaud, legs aux Musées de France, 1959

Bibliographie:
Bernard Dorival, *Le Legs Gourgaud,* La Revue du Louvre et des Musées de France, Paris, 1967 (Rep. No. 10, p. 102)

22. Composition aux Deux Perroquets

1935-1939
Huile sur toile, 13' 1⅜" x 15' 9½" (m. 4.00 x 4.80)
Signé en bas à droite et daté: F. Léger 35-39.
Au dos: Composition aux deux perroquets. F. Léger 35-39
Collection Musée National d'Art Moderne, Paris.
Don de l'artiste, 1950

ALBERT MARQUET

23. Portrait d'André Rouveyre

1904
Huile sur toile, 36¾" x 24⅜" (cm. 92 x 61)
Signé en bas à gauche et daté: Marquet 1904
Collection Musée National d'Art Moderne, Paris.
Achat des Musées Nationaux à M. Rouveyre, 1939

Bibliographie:
Bernard Dorival: *L'Ecole de Paris au Musée d'Art Moderne,* Abrams, New York, 1962 (Rep. p. 114)

ANDRÉ MASSON

24. Le Couple

1958
Huile sur toile, 55⅜" x 43⅜" (m. 1.40 x 1.10)
Signé en bas à gauche: André Masson
Collection Musée National d'Art Moderne, Paris.
Achat de l'Etat, 1960

HENRI MATISSE

25. Le Luxe

1907
Huile sur toile, 6' 10¾" x 4' 6¾" (m. 2.10 x 1.38)
Monogrammé en bas à gauche: H. M.
Collection Musée National d'Art Moderne, Paris.
Achat des Musées Nationaux à l'artiste, 1945

Bibliographie:
Bernard Dorival: *L'Ecole de Paris au Musée d'Art Moderne,* Abrams, New York, 1962 (Rep. p. 104)

26. Figure Décorative sur Fond Ornemental

1927
Huile sur toile, 52" x 39" (m. 1.30 x .98)
Signé en bas à gauche: Henri Matisse
Collection Musée National d'Art Moderne, Paris.
Achat de l'Etat, 1938

Bibliographie:
Bernard Dorival: *L'Ecole de Paris au Musée d'Art Moderne,* Abrams, New York, 1962 (Rep. p. 270)

27. Nature Morte au Magnolia

1941
Huile sur toile, 29¼" x 39⅜" (m. .73 x 1.00)
Signé en bas à droite et daté: Henri Matisse 12/41
Collection Musée National d'Art Moderne, Paris.
Achat des Musées Nationaux à l'artiste, 1945

JOAN MIRÓ

28. La Course de Taureaux

1945
Huile sur toile, 45" x 57" (m. 1.14 x 1.44)
Signé au verso et daté: Miró 8.10.45 "La course de taureaux"
Collection Musée National d'Art Moderne, Paris.
Don de l'artiste, 1947

Bibliographie:
Bernard Dorival: *L'Ecole de Paris au Musée d'Art Moderne,* Abrams, New York, 1962 (Rep. p. 215)

29. Message d'Ami

1965
Huile sur toile, 9'2" x 9'2" (m. 2.75 x 2.75)
Collection particulière

AMÉDÉO MODIGLIANI

30. Portrait de Dédie

v. 1918
Huile sur toile, 36¾" x 24⅜" (cm. 92 x 61)
Signé en haut à gauche: Modigliani
Collection Musée National d'Art Moderne, Paris.
Donation A. Lefèvre, 1952 (avec réserve d'usufruit); Entré au Musée en 1962

Bibliographie:
Bernard Dorival: *La Donation A. Lefèvre au Musée National d'Art Moderne,* La Revue du Louvre et des Musées de France, Paris, 1964, No. 1. (Rep. p. 26)

FRANCIS PICABIA

31. Udnie (Jeune Fille Américaine ou La Danse)
1913
Huile sur toile, 9'10⅛" x 9'10⅛" (m. 3.00 x 3.00)
Signé en bas à gauche et daté: Picabia 1913
Collection Musée National d'Art Moderne, Paris.
Achat de l'Etat, 1949

Bibliographie:
Bernard Dorival: *L'Ecole de Paris au Musée d'Art Moderne,* Abrams, New York, 1962 (Rep. p. 184)

PABLO PICASSO

32. Portrait de Jeune Fille
1914
Huile sur toile, 51⅜" x 28¾" (m. 1.30 x .97)
Au dos: Picasso — Portrait de jeune fille - Avignon 1914
Collection Musée National d'Art Moderne, Paris.
Legs de M. Georges Salles, 1967

33. Rideau de scène pour Parade
1917
Peinture à colle sur toile, 34'9⅝" x 55'5¼"
(m. 10.60 x 17.25)
Collection Musée National d'Art Moderne, Paris.
Achat des Musées Nationaux, 1955

Bibliographie:
R. Cogniat: *Picasso et la Décoration Théatrale,* L'Amour de l'Art, Paris, août 1928
F. Fels: L'Art Vivant, Genève, 1956 (Rep. p. 27)
Jean Cassou: *Le Rideau de Parade,* La Revue des Arts, Paris, 1957 (Rep. No. 1)

34. L'Aubade
1942
Huile sur toile, 5'7⅜" x 8'10" (m. 1.95 x 2.65)
Collection Musée National d'Art Moderne, Paris.
Don de M. Picasso, 1947

Bibliographie:
Bernard Dorival: *L'Ecole de Paris au Musée d'Art Moderne,* Abrams, New York, 1962 (Rep. p. 145)

GEORGES ROUAULT

35. Au Miroir
1906
Aquarelle sur carton, 28" x 21¼" (cm. 70 x 53)
Monogrammé en haut à gauche et daté 1906
Collection Musée National d'Art Moderne, Paris.
Collection Grignard, 1928. Achat de l'Etat, 1951
Histoire: 1906, Paris, Salon des Indépendants.

Bibliographie:
Bernard Dorival: *L'Ecole de Paris au Musée d'Art Moderne,* Abrams, New York, 1962 (Rep. p. 94)

36. L'Accusé
1907
Huile sur toile, 29⅝" x 40⅞" (m. .74 x 1.04)
Signé et daté en bas à droite: Rouault 1907
Collection Musée d'Art Moderne de la Ville de Paris
De la Collection Girardin.

ANDRÉ DUNOYER DE SEGONZAC

37. Les Baigneurs
1922
Huile sur toile, 68½" x 59⅜" (m. 1.73 x 1.50)
Signé en bas à gauche: A. Dunoyer de Segonzac
Collection Musée National d'Art Moderne, Paris.
Collection Marcel Monteux. Racheté par l'auteur qui l'offre au Musée, 1963

Bibliographie:
Bernard Dorival, *La Donation Dunoyer de Segonzac:* La Revue du Louvre et des Musées de France, nº 6, 1963, (Rep. No. 2 p. 290)

CHAÏM SOUTINE

38. Le Groom
v.1927
Huile sur toile, 39¼" x 32" (cm. 98 x 80)
Signé en haut à droite: Soutine
Collection Musée National d'Art Moderne, Paris.
Collection Matsukata, mise sous séquestre en 1944.
Entrée dans le domaine de l'Etat français en 1952 en application du traité de paix avec le Japon.

Bibliographie:
Bernard Dorival: *Nouvelles Acquisitions du Musée National d'Art Moderne,* La Revue des Arts, Paris, No. 111 (Rep. Pl. 7)

YVES TANGUY

39. Jours de Lenteur
1937
Huile sur toile, 36¾" x 29¼" (cm. 92 x 73)
Signé en bas à droite: Yves Tanguy, *et daté* (19)37
Collection Musée National d'Art Moderne, Paris.
Achat de l'Etat, 1938

Bibliographie:
Bernard Dorival: *L'Ecole de Paris au Musée d'Art Moderne,* Abrams, New York, 1962 (Rep. p. 276)

MAURICE UTRILLO

40. Le Jardin de Montmagny
v. 1909
Huile sur carton, 20¾" x 30" (cm. 52 x 75)
Signé en bas à gauche: Maurice Utrillo V.
Collection Musée National d'Art Moderne, Paris.
Achat de l'Etat, 1936

Bibliographie:
Bernard Dorival: *L'Ecole de Paris au Musée d'Art Moderne,* Abrams, New York, 1962 (Rep. p. 92)

KEES VAN DONGEN

41. Danseuse Espagnole

v. 1912
Huile sur toile, 58″ x 37¼″ (m. 1.48 x .93)
Signé en bas vers le centre: Van Dongen
Collection Musée National d'Art Moderne, Paris.
Don de l'Association des Amis des Artistes Vivants,
1929

JACQUES VILLON

42. L'Aventure (Homme Regardant un Petit
Bateau)

1935
Huile sur toile, 64½″ x 45⅜″ (m. 1.63 x 1.15)
Signé en bas à gauche: Jacques Villon 35
Collection Musée National d'Art Moderne, Paris.
Achat de l'Etat, 1942

Bibliographie:
Bernard Dorival: *L'Ecole de Paris au Musée d'Art
Moderne,* Abrams, New York, 1962 (Rep. p. 274)

MAURICE DE VLAMINCK

43. Paysage aux Arbres Rouges

1906
Huile sur toile, 26″ x 32⅜″ (cm. 65 x 81)
Signé en bas à gauche: Vlaminck
Collection Musée National d'Art Moderne, Paris.
Achat des Musées Nationaux, Ventre le Guillou, 1946

Bibliographie:
Bernard Dorival: *L'Ecole de Paris au Musée d'Art
Moderne,* Abrams, New York, 1962 (Rep. p. 127)

ÉDOUARD VUILLARD

44. Le Déjeuner du Matin

v. 1900
Huile sur carton, 22¾″ x 24″ (cm. 57 x 60)
Signé en bas à gauche: E. Vuillard
Collection Musée National d'Art Moderne, Paris.
Achat de l'Etat, Salon d'Automne, 1903

Bibliographie:
Bernard Dorival: *L'Ecole de Paris au Musée d'Art
Moderne,* Abrams, New York, 1962 (Rep. p. 254)

Section 2

YAACOV AGAM

45. Transparence de Rythmes II

1967
Peinture métapolymorphe à l'huile sur relief aluminium,
9′10⅛″ x 13′1½″, (m. 3.00 x 4.00)
Collection Joseph H. Hirshhorn

GILLES AILLAUD

46. Intérieur

1964
Huile sur toile, 6′6¾″ x 6′6¾″ (m. 2.00 x 2.00)
Collection de l'artiste

PIERRE ALECHINSKY

47. Le Mal Indéfini

1965-1967
Huile sur toile, 6′6¾″ x 9′10⅛″ (m. 2.00 x 3.00)
Signé et daté en bas à droite
Collection particulière

KAREL APPEL

48. L'Enfant au Cerceau

1961
Huile sur toile, 9′10⅛″ x 7′2¾″ (m. 3.00 x 2.20)
Signé à droite
Collection de l'artiste

ARMAN

49. Every Move Has Consequences

1967
Accumulation de tubes de peinture en plexiglas,
34¾″ x 34″ (cm. 87 x 85)
Signé en bas à droite
Collection particulière

GENEVIÈVE ASSE

50. Cercle - Paysage

1967
Huile sur toile, 6′6¾″ x 8′3″ (m. 2.00 x 2.50)
Signé en bas à droite, daté au dos
Collection de l'artiste

JEAN ATLAN

51. La Kahena

1958
Huile sur toile, 57⅝" x 35⅝" (m. 1.46 x .89)
Signé en bas à droite: Atlan. *Au dos:* "La Kahena."
Collection Musée National d'Art Moderne, Paris.
Achat de l'Etat, 1958

Bibliographie:
Bernard Dorival: *L'Ecole de Paris au Musée d'Art Moderne,* Abrams, New York, 1962 (Rep. p. 248)

BALTHUS

52. La Fenêtre

1933
Huile sur toile, 64" x 44" (m. 1.61 x 1.11)
Collection particulière

53. La Cour de Ferme à Chassy

1960
Huile sur toile, 35⅝" x 38¼" (cm. 89 x 96)
Collection particulière

54. Les Trois Soeurs

1965
Huile sur toile, 51⅜" x 76⅛" (m. 1.30 x 1.92)
Collection particulière

JEAN BAZAINE

55. Vent de Mer

1949
Huile sur toile, 47" x 35⅝" (m. 1.19 x .89)
Signé en bas à droite et daté: Bazaine 49
Au dos: Bazaine 1949 "Vent de mer"
Collection Musée National d'Art Moderne, Paris.
Don de M. Clayeux en mémoire de Bernard Maeght, 1954

Bibliographie:
Bernard Dorival: *L'Ecole de Paris au Musée d'Art Moderne,* Abrams, New York, 1962 (Rep. p. 235)

56. Zeeland
1957
Huile sur toile, 51⅜" x 77⅜" (m. 1.30 x 1.95)
Collection particulière

ANDRÉ BEAUDIN

57. La Bicyclette
1951
Huile sur toile, 64¼" x 38¾" (m. 1.62 x .97)
Signé et daté en haut à gauche
Collection particulière

RENÉ BERTHOLO

58. Pièces à Conviction et autres
1965
Huile sur toile, 77⅜" x 51⅜" (m. 1.95 x 1.30)
Collection particulière

PIERRE BETTENCOURT

59. Présence Occulte
1967
Coquille d'oeuf, toile de sac, ardoise, 12'6⅛" x 5'1⅛" (m. 3.80 x 1.53)
Signé et daté
Collection particulière

HANS BISCHOFFSHAUSEN

60. Espace-Antiespace
1965
Huile sur toile, 36¾" x 44⅞" (m. .77 x 1.14)
Signé et daté au dos
Collection particulière

ROGER BISSIÈRE

61. Le Voyage au Bout de la Nuit
1955
Huile sur toile, 30⅜" x 44⅞" (m. .77 x 1.14)
Signé en bas à droite
Collection particulière

62. Le Jardin cette Nuit
1961
Huile sur toile, 45¾" x 32⅜" (m. 1.16 x .89)
Collection particulière

FRANCISCO BORES

63. Soir d'Eté
1966
Huile sur toile, 57⅝" x 45¾" (m. 1.46 x 1.16)
Signé en bas à droite
Collection particulière

VICTOR BRAUNER

64. La Ville
1959
Huile sur toile, 51⅜" x 77⅜" (m. 1.30 x 1.95)
Signé en bas à droite: Victor Brauner. VIII. 1959
Au dos: Ville — Victor Brauner — Août 1959
Collection Musée National d'Art Moderne, Paris.
Achat de l'Etat, 1960

POL BURY

65. Flat Iron Building, New York
1966
Cinétisation, 73⅜" x 40¼" (m. 1.85 x 1.02)
Collection particulière

PIERRE CHARBONNIER

66. Fenêtres
1960-1963
Huile sur toile, 51⅜" x 76⅛" (m. 1.30 x 1.92)
Signé en bas à droite; daté au dos
Collection particulière

SERGE CHARCHOUNE

67. Chopin — Sylphides Variations IV
1964
Huile sur toile, 32⅜" x 51⅜" (m. .81 x 1.30)
Collection de l'artiste

MIODRAG DJURIC DADO

68. Le Mauvais Elève de Vesale
1967
Huile sur toile, 77⅜" x 51⅜" (m. 1.95 x 1.30)
Signé et daté
Collection particulière

HORIA DAMIAN

69. Le Trône
1967
Peinture sur relief bois et plâtre, 6'7⅜" x 6'5⅜"
(m. 2.02 x 1.95)
Collection de l'artiste

JEAN DEGOTTEX

70. Trouée Noire
1967
*Huile sur toile et bois, 11'6⅛" x 6'7⅜" (m. 3.50 x
2.02)*
Signé et daté au dos
Collection de l'artiste

HUGO DEMARCO

71. Colonne Instable
1967
*Bois et aluminium, 78¾" x 8" x 4⅜" (m. 2.00 x
.20 x .11)*
Collection de l'artiste

JEAN DEWASNE

72. Badia
1967
*Peinture Oléo-glycérophtalique sur isorel, 12'3⅜" x
6'⅛" (m. 3.66 x 1.82)*
Signé au dos
Collection de l'artiste

JEAN DUBUFFET

73. Paysage Vineux
1944
Huile sur toile, 50" x 38" (m. 1.25 x .95)
Signé et daté en haut à droite
Collection André Malraux, Paris

74. Madame au Jardin
1956
Tableau d'assemblage, 58¼" x 46½" (m. 1.49 x 1.18)
Signé et daté en haut à gauche
Collection particulière

75. Château l'Hourloupe
1963
Huile sur toile, 7'2¾" x 6'3⅜" (m. 2.20 x 1.90)
Colletcion Mrs. Leo Simon, New York

MAURICE ESTÈVE

76. Les Trois Tables
1939
Huile sur toile, 44⅞" x 57⅝" (m. 1.14 x 1.46)
Collection Mrs. Robert Windfohr, Fort Worth, Texas

77. Bélasse
1966
Huile sur toile, 64¼" x 51⅜" (m. 1.62 x 1.30)
Signé et daté en bas à droite
Collection de l'artiste

JEAN FAUTRIER

78. Oradour-Sur-Glane
1944
Huile sur toile, 57" x 44¾" (m. 1.45 x 1.14)
Collection D. et J. de Ménil, Houston, Texas

79. La Femme Douce
1946
Huile sur toile, 38¾" x 57⅝" (m. .97 x 1.46)
Signé et daté en bas à droite
Collection Michel Couturier

80. Les Grands Végétaux
1960-1961
Huile sur toile, 38⅜" x 52¼" (m. .97 x 1.32)
Collection particulière

ALBERTO GIACOMETTI

81. Homme Assis
1949
Huile sur toile, 30" x 13½" (cm. 76 x 33)
Collection Mr. et Mrs. Morton G. Neumann, Chicago,
Illinois

82. Portrait de Mme Maeght
1961
Huile sur toile, 57¼" x 38" (m. 1.45 x .95)
Collection particulière

R. E. GILLET

83. La Cène
1965
Huile sur toile, 4'11" x 9'10⅛" (m. 1.50 x 3.00)
Signé et daté en bas à droite
Collection M. et Mme Janssen, Bruxelles

JEAN GORIN

84. Conquête de l'Espace N° I
1946
Huile sur bois, 32⅜" x 36⅜" x 8" (cm. 81 x 91 x 20)
Signé et daté au dos à gauche
Collection particulière

SIMON HANTAI

85. 1967 - Meun, No. 4
1967
Huile sur toile, 8' x 6'9⅜" (m. 2.43 x 2.07)
Monogrammé et daté en bas à droite
Titre au dos en haut à gauche
Collection particulière

HANS HARTUNG

86. T. 1935 - 1
1935
Huile sur toile, 56⅛" x 73¾" (m. 1.42 x 1.86)
Signé et daté en bas à gauche
Collection Roberta González Richard, Paris

87. T. 1938 - 30
1938
Huile sur toile, 39⅜" x 39⅜" (m. 1.00 x 1.00)
Signé et daté en bas à gauche
Collection de l'artiste

88. T. 1966. R.6
1966
Huile sur toile, 5'11½" x 8'3" (m. 1.80 x 2.50)
Signé et daté en bas à gauche
Collection particulière

JEAN HÉLION

89. Configuration
1937
Huile sur toile, 59⅝" x 44¼" (m. 1.52 x 1.12)
Etat français, Affaires culturelles

90. Au Cycliste
1939
Huile sur toile, 4'5¼" x 6'1" (m. 1.34 x 1.84)
Etat français, Affaires culturelles

PHILIPPE HOSIASSON

91. Peinture
1965
Huile et gouache sur bois, 57⅝" x 44⅞" (m. 1.46 x 1.14)
Signé et daté en bas à droite et au dos
Collection de l'artiste

HUNDERTWASSER

92. La Barbe Gazon de l'Homme Démunie
1961
Tempera - huile - aquarelle. 57⅝" x 44⅞" (m. 1.46 x 1.14)
Signé et daté en bas à gauche
Collection Yuko Ikenwada

ASGER JORN

93. Une Mine de Rien (Ou Presque)
1967
Huile sur toile, 44⅞" x 57⅝" (m. 1.14 x 1.46)
Collection particulière

PETER KLASEN

94. Ce Que Femme Veut
1966
Huile sur toile, 64¼" x 51⅜" (m. 1.62 x 1.30)
Collection particulière

YVES KLEIN

95. La Grande Bataille
1960
Encre d'imprimerie, empreinte, 9'5" x 12'2½" (m. 2.86 x 3.71)

96. Feu Couleur 27
1961-1962
Couleur brûlée sur bois, 37¼" x 54" (m. .93 x 1.36)
Collection particulière

WIFREDO LAM

97. La Toussaint
1966
Huile sur toile, 6'10¾" x 8'3" (m. 2.10 x 2.50)
Collection de l'artiste

ANDRÉ LANSKOY

98. Un Instant de Silence
1967
Huile sur toile, 38¾" x 77⅜" (m. .97 x 1.95)
Signé en bas à droite, daté au dos
Collection de l'artiste

CHARLES LAPICQUE

99. La Vie d'un Tigre
1961
Huile sur toile, 57⅝" x 38¾" (m. 1.46 x .97)
Signé et daté en bas à gauche
Collection particulière

JULIO LE PARC

100. Continuel Mobile
1964
Eléments de plexiglas suspendus, chassis bois peint, 6'6¾" x 6'6¾" (m. 2.00 x 2.00)
Collection particulière

ALBERTO MAGNELLI

101. Les Paysans à la Charette
     1914
     Huile sur toile, 5'9" x 6'6¾" (m. 1.75 x 2.00)
     Signé et daté en bas à gauche
     Collection de l'artiste

102. Escale serrée
     1957
     Huile sur toile, 77⅜" x 51⅜" (m. 1.95 x 1.30)
     Signé et daté en bas à droite
     Collection de l'artiste

ALFRED MANESSIER

103. Grande Sainte Face
     1963
     Huile sur toile, 7'6¾" x 6'6¾" (m. 2.30 x 2.00)
     Signé et daté en bas à gauche
     Collection particulière

ANDRÉ MARFAING

104. Juillet 67/21
     1967
     Huile sur toile, 77⅜" x 59" (m. 1.95 x 1.50)
     Signé et daté en bas à gauche
     Collection de l'artiste

GEORGES MATHIEU

105. Evanescence
     1945
     Huile sur toi'e, 38¾" x 32⅜" (cm. 97 x 81)
     Collection de l'artiste

106. Hommage aux Frères Boisserée
     1967
     Huile sur toile, 9'10⅛" x 16'4" (m. 3.00 x 5.00)
     Collection de l'artiste

MATTA (Roberto Echaurren)

107. Grimau : Alive on Target
     1964-1965
     Huile sur toile, 9'10½" x 32'9⅝" (m. 3.00 x 10.00)
     Collection Mr. et Mrs. Tom Jones, New York

JEAN MESSAGIER

108. Géant d'Eté
     1967
     Huile sur toile, 6'3⅜" x 7'3⅛" (m. 1.91 x 2.21)
     Collection particulière

HENRI MICHAUX

109. Peinture à l'Encre de Chine
     1960
     Encre de chine sur papier, 29⅜" x 42½" (m. .75 x 1.08)
     Signé en bas à droite
     Collection particulière

110. Peinture à l'Encre de Chine
     1961
     Encre de chine sur papier, 29⅜" x 42½" (m. .75 x 1.08)
     Signé en bas à droite
     Collection particulière

111. Peinture à l'Encre de Chine
     1963
     Encre de chine sur papier, 29⅜" x 42⅛" (m. .75 x 1.07)
     Collection particulière

RICHARD MORTENSEN

112. Opus Rouen
     1956
     Huile sur toile, 5'4¼" x 17'7⅞" (m. 1.62 x 5.20)
     Collection particulière

LOUIS NALLARD

113. Objet sur un Mur
     1965
     Huile sur toile, 41⅜" x 46⅝" (m. 1.05 x 1.18)
     Collection particulière

ÉDOUARD PIGNON

114. Les Grands Pousseurs de Blé
     1962
     Huile sur toile, 6'1⅜" x 8'6¾" (m. 1.85 x 2.60)
     Signé en bas à droite: Pignon 62
     Collection Musée National d'Art Moderne, Paris.
     Achat de l'Etat, 1963

     Bibliographie:
     Catalogue de l'exposition, *Pignon*, Musée National d'Art
     Moderne, Paris, 1966 (Rep. No. 104)

SERGE POLIAKOFF

115. Composition
     1958
     Huile sur toile, 51⅜" x 64¼" (m. 1.30 x 1.62)
     Signé et daté en bas à droite
     Collection de l'artiste

116. Composition Rouge et Orange
     1960
     Huile sur toile, 51⅜" x 64¼" (m. 1.30 x 1.62)
     Prêté par l'Ambassade de France, Washington, D. C.

BERNARD RANCILLAC

117. La Parole N° 1 - Assemblée Générale
     1967
     Peinture acrylique sur toile et plexiglass, 6'5⅜" x 9'10⅛" (m. 1.95 x 3.00)
     Monogrammé; nom et daté au dos
     Collection de l'artiste

JEAN-PIERRE RAYNAUD

118. Psycho-Objet 27 A

1966
Bois et Panolac, 71½" x 36" x 24⅜" (m. 1.80 x .90 x .61)
Collection particulière

MARTIAL RAYSSE

119. Mysteriously Yours

1964
Peinture-photo, panneau de gauche: 77⅜" x 57" (m. 1.95 x 1.44); panneau de droite: 77⅜" x 51¼" (m. 1.95 x 1.295)
Signé et daté au dos, en haut à gauche
Collection Stedelijk Museum, Amsterdam

PAUL REBEYROLLE

120. Sans Titre

1965
Huile sur toile et collage, 6'6¾" x 6'6¾" (m. 2.00 x 2.00)
Collection particulière

BERNARD REQUICHOT

121. Le Déchet des Continents

1961
Tableau de papiers choisis, 4'½" x 8'⅜" (m. 1.22 x 2.44)
Titre en bas à droite
Collection D. B. C., Paris

JEAN-PAUL RIOPELLE

122. Les Masques

1964
Tryptique; huile sur toile, 6'5" x 11'8" (m. 1.95 x 3.54)
Signé en bas à droite
Collection particulière

ANTONIO SAURA

123. Portrait Imaginaire de Goya N° 1

1966-1967
Huile sur toile, 63" x 77⅜" (m. 1.59 x 1.95)
Signé et daté en haut à droite
Collection particulière

GÉRARD SCHNEIDER

124. Opus 95-E

1961
Huile sur toile, 6'6¾" x 9'10⅛" (m. 2.00 x 3.00)
Signé et daté en bas à droite: Schneider 4-61
Collection Musée National d'Art Moderne, Paris.
Don de l'artiste au Musée, 1964

JOSEPH SIMA

125. Chute d'Icare

1959
Huile sur toile, 64¼" x 51⅜" (m. 1.62 x 1.30)
Signé en bas à droite
Collection particulière

126. Terre Lumière

1967
Huile sur toile, 51⅜" x 77⅜" (m. 1.30 x 1.95)
Signé en bas à droite
Collection particulière

GUSTAVE SINGIER

127. Provence Estuaire, Soleil et Sable

1959
Huile sur toile, 51¼" x 64" (m. 1.30 x 1.62)
Collection particulière

JESUS RAFAEL SOTO

128. Volume Suspendu

1967
Tige de métal suspendue, fond peint, 6'6¾" x 6'6¾" (m. 2.00 x 2.00)
Signé et daté au dos
Collection de l'artiste

PIERRE SOULAGES

129. Composition - 19 juin 1963

1963
Huile sur toile, 8'6¾" x 6'6¾" (m. 2.60 x 2.00)
Signé en bas à droite et daté au verso
Collection Musée National d'Art Moderne, Paris.
Don de l'artiste, 1967

130. Peinture - 26 octobre 1967

1967
Huile sur toile, 6'6¾" x 9'10⅛" (m. 2.00 x 3.00)
Signé et daté au dos
Collection de l'artiste

NICOLAS DE STAËL

131. De la Danse

1946
Huile sur toile, 77⅜" x 44⅞" (m. 1.95 x 1.14)
Collection particulière

132. Composition (Les Toits)

1952
Huile sur Isorel, 6'6¾" x 4'11" (m. 2.00 x 1.50)
Signé en bas à gauche et daté: Staël 52
Au dos: Staël, janvier, 1952
Collection Musée National d'Art Moderne, Paris.
Don de l'artiste, 1952

Bibliographie:
E. Berl: *Cent ans d'histoire de France*, Paris, 1962 (Rep. Pl. 16)
O. Jelly: *An Essay on Eyesight*, Londres, 1963 (Rep. Pl. 18)
Bernard Dorival: *L'Ecole de Paris au Musée d'Art Moderne*, Abrams, New York, 1962 (Rep. p. 251)

133. Nu Couché Bleu Fond Rouge
   1955
   Huile sur toile, 44⅞″ x 64¼″ (m. 1.14 x 1.62)
   Collection particulière

KUMI SUGAI
134. National Route N° 6
   1965
   Huile sur toile, 7′6¾″ x 6′1⅜″ (m. 2.30 x 1.85)
   Signé en bas à gauche
   Collection de l'artiste

ARPAD SZENES
135. Développement Vertical de l'Horizon
   1967
   Huile sur toile, 59″ x 20″ (m. 1.50 x .50)
   Collection particulière

PIERRE TAL COAT
136. La Brèche
   1959
   Huile sur toile, 6′6¾″ x 6′6¾″ (m. 2.00 x 2.00)
   Collection particulière

137. Signes dans une Falaise Rouge
   1967
   Huile sur toile, 51⅜″ x 77⅜″ (m. 1.30 x 1.95)
   Collection particulière

HERVÉ TÉLÉMAQUE
138. Le Poète Rêve sa Mort - N° 2
   1966
   Huile sur Isorel perforé 4′2″ x 9′1″ (m. 1.25 x 2.75)
   Collection particulière

LUIGI TOMASELLO
139. Atmosphère Chromo Plastique - N. 180
   1967
   Peinture Vynilique sur bois, 6′6¾″ x 6′6¾″
   (m. 2.00 x 2.00)
   Signé
   Collection de l'artiste

RAOUL UBAC
140. A l'Ombre d'un Champ
   1966
   Peinture sur bois, 59″ x 59″ (m. 1.50 x 1.50)
   Collection particulière

141. Terres
   1967
   Peinture sur bois, 4′5⅝″ x 6′10¾″ (m. 1.35 x 2.10)
   Collection particulière

BRAM VAN VELDE
142. Sans Titre
   1957
   Huile sur toile, 5′7″ x 8′ (m. 1.70 x 2.43)
   Collection Michel Guy, Paris

GEER VAN VELDE
143. Composition
   1962
   Huile sur toile, 64¼″ x 64¼″ (m. 1.62 x 1.62)
   Monogrammé en bas à droite ; Nom et daté au dos
   Collection de l'artiste

VICTOR VASARELY
144. EG - 1 - 2
   1965-1967
   Huile sur toile, 6′6¾″ x 6′6¾″ (m. 2.00 x 2.00)
   Signé en bas au centre et au dos
   Collection de l'artiste

145. DOM 4
   1967
   Huile sur toile, 9′2¾″ x 4′7⅜″ (m. 2.80 x 1.40)
   Signé en bas au centre et au dos
   Collection de l'artiste

146. DAK
   1967
   Relief métal, 6′6¾″ x 6′6¾″ x 4⅝″ (m. 2.00 x
   2.00 x .12)
   Signé, daté au dos
   Collection de l'artiste

MARIE-HÉLÈNE VIEIRA DA SILVA
147. Les Désastres de la Guerre
   1942
   Huile sur toile, 32⅜″ x 39⅜″ (m. .81 x 1.00)
   Collection de l'artiste

148. L'Esplanade
   1967
   Huile sur toile, 38¾″ x 77⅜″ (m. .97 x 1.95)
   Collection particulière

WOLS (Otto Alfred Schulze)
149. Sans Titre
   1946-1947
   Huile sur toile, 32⅜″ x 32⅜″ (cm. 81 x 81)
   Collection particulière

150. Manhattan
   1947
   Huile sur toile, 57⅝″ x 38¾″ (m. 1.46 x .97)
   Collection D. et J. de Ménil, Texas

ZAO WOU KI
151. Hommage à Edgar Varèse
   1964
   Huile sur toile, 8′4¼″ x 11′3¾″ (m. 2.54 x 3.44)
   Collection particulière

LISTE DES ILLUSTRATIONS

SERVICES PHOTOGRAPHIQUES

Paul Bijtevier, Bruxelles
Cat. No. 83

Photos Cauvin, Paris
Cat. Nos. 66, 78

Centrale Studio, Tonnerre
Cat. No. 59

Robert David, Paris
Cat. Nos. 84, 121

Photo Delagenière, Paris
Cat. No. 63

Jean Dubout, Paris
Cat. Nos. 58, 91, 94, 118, 138

Augustin Dumage, Paris
Cat. Nos. 68, 123

Galerie de France, Paris
Cat. Nos. 86, 103, 127, 151

Studio Galerie Maeght, Paris
Cat. Nos. 29, 56

Claude Gaspari (Copyright Galerie Maeght), Paris
Cat. Nos. 120, 140

Pierre Golendorf, Paris
Cat. No. 50

André Gontard, Paris
Cat. No. 108

Yves Hervochon, Paris
Cat. No. 143

Jacqueline Hyde, Paris
Cat. Nos. 90, 95, 111, 126, 135, 148

Luc Joubert, Paris
Cat. Nos. 62, 94, 113

N. Mandel, Paris
Cat. No. 48

André Morain, Paris
Cat. Nos. 47, 71, 117, 128

Jean-Pierre Niogret, Paris
Cat. No. 98

Eric Pollitzer, New York
Cat. No. 122

Rheinisches Bildarchiv, Cologne
Cat. No. 106

F. Wilbur Seiders, Paris
Cat. No. 65

Service de Documentation Photographique de la Réunion
des Musées Nationaux, Versailles

Cat. Nos. 2, 3, 4, 5, 6, 8, 9, 10, 12, 13, 15, 16, 18, 19,
20, 21, 22, 23, 24, 26, 27, 28, 30, 31, 32, 33, 34, 35,
36, 37, 38, 39, 40, 41, 42, 43, 44, 51, 64, 114, 124, 132

Editions Skira, Genève
Cat. Nos. 7, 11, 25 (clichés couleurs)

Sorn, Bruxelles
Cat. No. 49

Steiner and Co., Basel
Cat. No. 75 (cliché couleur)

Taylor and Dull, New York
Cat. No. 80

Marc Vaux, Paris
Cat. No. 72

Villand et Galanis, Paris
Cat. No. 63

Visage de France, Paris
Cat. Nos. 67, 73